新 潮 文 庫

あすなろ物語

井 上 靖 著

新 潮 社 版

1238

目次

あすなろ物語

深い深い雪の中で

鮎太《あゆた》と祖母りょうの二人だけの土蔵の中の生活に、冴子《さえこ》という十九歳の少女が突然やって来て、同居するようになったのは、鮎太が十三になった春であった。冴子という名前は、それまでに祖母の口から度々聞いていたが、鮎太が彼女の姿を見たのは、その時が初めてであった。

鮎太はなんとなく不可《いけ》ないものが、静穏な祖母と自分の二人だけの生活を攪乱《かくらん》しにやって来たような気がした。そうした冴子への印象は、彼女の初対面の時の印象から来たものか、冴子という少女に対する村人の口から出る噂《うわさ》がそうした余り香《かんば》しくないもので、それがいつとはなしに、鮎太の耳に入ってきたことに依《よ》るのか、それははっきりしなかった。あるいはその両方であったか知れない。

その日、鮎太が学校から帰って来ると、屋敷と小川で境して、屋敷より一段高くなっている田圃《たんぼ》の畔道《あぜみち》を両肘《りょうひじ》を張るようにして、ハーモニカを吹いて歩いている一人の少女の姿が眼に入った。少女と言っても鮎太よりずっと年長である。村では見掛けない娘であった。薄ら寒い春の風におかっぱの髪を背後《うしろ》に飛ばせ、背後で大きく結んでいる黄色い兵児《へこ》帯《おび》の色が、鮎太の眼には印象的であった。

鮎太も畔道を歩いて来たが、その自分とはずっと年長の少女と正面からぶつかるのを避けて、畔道の途中から小川を越えて、土蔵の横手の屋敷内へと飛び降りた。屋敷内へ飛び降りると、地面が低くなっているため、鮎太の視野から少女の姿は消えた。鮎太は教科書の入っている風呂敷《ふろしき》包みを地面へ置くと、傍の柿《かき》の木に攀《よ》じ登ってみた。少女は相変らずハーモニカを吹きながら段々畠《だんだんばたけ》の畔道を歩いていた。

鮎太がその少女を見守っているうちに、彼女は次第にこちらに近寄って来たが、柿の木に登っている鮎太の姿を眼に留めると、視点を据えたような見入り方で、じいっと鮎太の方を見た。その黒い大きい眼が鮎太を驚かせた。一体この少女は何者だろうかと思った。

もしかしたら、冴子かも知れない、鮎太はふとそう思った。

冴子という半島の突端の港町の女学校へ行っている少女が祖母の身内にあり、その少女の余り香しくない評判は、この村から同じ女学校へ通っている二、三人の娘たちに依って、この村へ伝えられていた。

鮎太は冴子という年長の、祖母の身内だという少女を、何となく美貌《びぼう》の少女として想像していた。彼女に関する噂の性質からすると、彼女はどうしても美貌でなければならぬようであった。

鮎太は柿の木から降りると、土蔵の中へ駈《か》け込んだ。あのように美しい少女は、冴子でなければならぬと思ったし、あのような不良は（鮎太にはハーモニカを吹いている少女が、そう見えた）、冴子以外にはないだろうと思った。

薄暗い板敷の横手の階段を上がって行くと、祖母の姿は見えなかったが、見慣れない鞄《かばん》が一つ、鉄の棒のはまっている北側の小さい窓の傍の畳の上に置かれてあった。

鮎太はやはり冴子がやって来たのだと思った。

鮎太は幾らか興奮していた。二階から降りると、直《す》ぐ部落の子供たちの集り場所になっている青年集会所の前へ出掛けて行った。

鮎太はそこで、他の子供たちと、鉄棒にぶら下がったり、角力《すもう》を取ったりして、夕方までの時間を消したが、時々、心の中で「冴子が来た！　冴子が来た！」と思った。が、誰にもまだそのことは口外しなかった。

そして、平生より遅く、春の日がすっかり暮れて、街道の両側にある家々に燈が入ってから、鮎太は家へ帰って行った。

階段を上がって行くと、冴子は祖母と夕食の膳《ぜん》に向かおうとしていた。

「これが坊!? 思ったよりましな子じゃあないの!」

そんなことを、冴子は初めて彼女の前に出た鮎太を見て、祖母に言った。明らかに敵意のこもった言葉であった。

「幾つ?」

「十三だ」

「ふん」

と、十三であるという事さえが、彼女にとっては腹に据えかねる事のようであった。

「みんなあんたをちやほやするが、冴子もそうだと思うと当てが違ってよ」

そう言って、冴子は村では珍しい額で切り揃《そろ》えたおかっぱの髪の下で、ちょっと怖い眼をして見せ、それから今度は優しく笑った。

鮎太は、そうした冴子に半ば見惚《みと》れていた。村の娘の誰よりも色が白く、眼は大きく澄んでおり、表情は見るからに活き活《い》き《い》としていた。

祖母のおりょうは、そんな冴子の毒のある言い方に気付いていなかった。五、六年前から、耳が遠くなっていて、鮎太は祖母と話をする時は、いつも口を彼女の耳もとに持って行って、大きい声を出さなければならなかった。

鮎太は、毎日の日課の一つであったが、祖母の酒を一合買うために、平生より少し違うむっつりとした表情で五合瓶を持って家を出て行った。

冴子の言うように、鮎太は村人から、他の子供たちとは区別されて「梶《かじ》の坊ちゃん」と呼ばれていた。

天城《あまぎ》の南麓《なんろく》の小さい幾つかの部落では、梶家は昔から代々の医家で通っており、他の農家とは格式が違うものとされていた。十三代目が鮎太の父であり、これも医者であったが、彼は村では開業せずに、陸軍に仕官して、軍医としてもう何年も任地を転々としていた。

従って、三百年の樹齢を数えると言われる椎《しい》の老樹を玄関口に持っている梶家の大きい家屋敷は、鮎太の生れる前から天城営林署に貸してあり、そこの代々の署長官舎のようになっていた。鮎太が知っているだけでも、三代の署長の家族が入れ替り立ち替り住んでいた。

そして、その屋敷内にある土蔵だけは確保して、そこに祖母と鮎太が住んでいる。

祖母おりょうは、村人の間ではひどく評判が悪かった。と言うのは、もともと彼女は梶家の人ではなく、梶家の先代の玄久の妾《めかけ》であったが、それが玄久の死後、村の収入役と結託して、戸籍を書き替えて、玄久の後妻という形で梶家へ入り込んでしまったからである。

従って、鮎太の両親にとっては、おりょうは戸籍上では義母になっていたが、梶家にとっては謂《い》わば家を乗っ取った不倶戴天《ふぐたいてん》の仇敵《きゅうてき》と言っていい人物であった。祖母おりょうが、こうした事情を知っている村人からよく思われないのは、極めて当然なことであった。

おりょうが鮎太を両親の手から引き取って離さないのは、梶家の将来の跡取り息子である鮎太を自分の手許《てもと》に置くことに依って、謂ってみれば自分の生活の保証を得ているようなもので、実際にまた彼女自身そうした考えであったろうし、誰からもそう見られていた。

村人は、鮎太のことは「梶の坊ちゃん」と呼んでいたが、おりょうのことは、田舎者の依怙地《いこじ》から、おりょうさんとか、おりょう婆《ばあ》さんとか呼んで、多少の軽蔑《けいべつ》と憎悪《ぞうお》をその中にこめることを忘れなかった。

しかし、鮎太は六歳の時からこのおりょう婆さんに引き取られていたので、すっかりこの戸籍上の祖母になついていたし、祖母もまた、鮎太に親身の愛情を感じていた。

誰に判《わか》らなくても鮎太にはそれが判っていた。

毎月、都会の両親から、二人の生活費が送り届けられた。おりょう婆さんはその生活費を切り詰めて、自分の酒代と、それから自分にとっては唯一《ゆいいつ》の血縁者である、半島の突端の港町で飲食店を開いている妹のもとに送る幾らかの金を捻出《ねんしゅつ》していた。その金は妹の一人娘である冴子をその町の女学校に通わせる学費であった。おりょう婆さんは、その姪《めい》の学費を、毎月郵便局から六里隔たった港町へ送金していたので、この事は村では誰一人知らないものはなく、これが村に於《お》けるおりょう婆さんの悪評をより決定的なものにしていた。

そうしたおりょう婆さんに関する風評は、何となく、子供の鮎太の耳にも入っていたが、どうして村人が祖母のことを悪く言うのか、その理由はよくは納得行かなかった。

「すっかり坊は人質に取られて、喰い物にされとる！」

鮎太の身に集る村人の眼は、彼が両親から離れているという事も手伝って、常に同情的であった。

「自分が酒喰らうくらいなら、大切な坊にうまいものを喰わせればいいのに！」

そんな声も耳にはいった。

しかし、鮎太は、別に生活に不満はなかった。他人の眼にはどう映ろうと、結構祖母に可愛《かわい》がられて育っていた。何年も祖母の皺《しわ》くちゃな両脚に挟まれて寝ていたし、夕食の時は、祖母から彼女が若い時祖父と共に行ったという日光や、身延山《みのぶさん》や、それから京大阪の町の話などを聞いた。そんな話をする時の祖母の眼が鮎太は好きだった。そして他処《よそ》からの貰《もら》いものがあると、祖母は自分ではそれを食べないで、鮎太に食べさせた。そして、村の子供たちの名はみんな呼び棄《す》てにしたが、鮎太のことは、「坊！　坊！」と呼んでいた。

鮎太にとっては、詰まるところ、祖母はいい祖母以外の何ものでもなかった。喰いものにされてもいなければ、人質にされている気持もなかった。離れている両親に対する思慕は少しも涌《わ》かず、父や母や弟妹《きょうだい》のいる遠い都会の家は、夏休みのある期間だけ帰らなければならぬ固苦しい窮屈な場所であるに過ぎなかった。

祖母は冴子の学費を負担して、自分の身内へ肩身広い思いをしているわけだが、それでも村人の思惑を考えてか、冴子を自分のところへ呼ぶことはなかった。しかし、毎年夏休みに、村人の誰かを頼んで鮎太を都会の両親の許に送り（これは鮎太の両親からの要請に依るものであった）、自分一人になると、自分は自分の出生の地であり、何人かの僅《わず》かな肉親の者が住んでいる半島の突端の港町へ馬車に乗り、山を越えて出かけて行った。つまり、鮎太も祖母のおりょうも、毎年夏になると、別々にそれぞれ肉親のいる場所へ里帰りをするという恰好《かっこう》であった。

だから、勿論《もちろん》、おりょう婆さんは自分の唯《ただ》一人のお侠《きゃ》んな姪を部落へは呼ばなかったが、彼女とは毎年のように顔を合わせているわけであった。

鮎太は、祖母が鮎太と同じように、自分が学費を出している一人の姪を可愛がっていることを、彼女の平生の言葉の端《は》し端《ば》しから知っていた。

鮎太が学校で友達にいじめられたりすると、祖母は、躰《からだ》を二つに折り曲げて、地面を嘗《な》めるような恰好で、手を腰の背後で振りながら、学校の校庭へ姿を現わした。鮎太は教室の窓からそうした祖母の姿を見ると、絶望的な気持になった。鮎太が祖母について嫌なことはこの事だけだった。

「やい、どこの家の子じゃ。家の坊をいじめたのは。先生か何か知らぬが、どこの馬の骨か判らぬ他国者《よそもの》めが！　大体お前さんが悪い！」

祖母は窓の下から長いこと喚《わめ》いて教師に毒づいた。これは鮎太の成績が一つだけ下がっても同じことだった。

これと同じように、冴子の悪口が彼女の耳に入っても彼女は、千里の道を遠しとせずに出掛けて行った。

「わしの姪を一度でも見たことあるかや。ろくでなしのおのが娘の言葉を真に受けくさって！」

そんな時、鮎太は祖母から少し離れた所で、祖母の毒舌の終るのを、子供心に孤独な気持で待っていた。大抵の場合相手は農家だったので、囲炉裏の薪《まき》の焔《ほのお》の光で、土間に立っている祖母の顔の半面は、鮎太には堪《た》まらなく醜く見えた。

そして当の問題になっている自分よりは年長の、未知の少女の顔が、その反動か、鮎太の眼には奇妙に美しく浮き上がって見えて来るのであった。

鮎太は、冴子が間もなく、自分と祖母の二人の生活から脱《ぬ》け出して行くだろうと思っていた。それが望ましくもあり、また望ましくないものにも思えた。自分と祖母の二人だけの静穏な土蔵の中の生活が冴子という闖入者《ちんにゅうしゃ》に依って、乱される不安もあったし、一方では反対に、単調な自分たちの生活に突然飛び込んで来た、一匹の華やかな色彩の蛾《が》のようなものを失いたくない気持も強かった。

冴子が初め鮎太に会った時、鮎太に邪慳《じゃけん》な言葉を浴せたのは、冴子が梶家に対して、よからぬ感情を持っているためで、勿論それは、彼女の伯母を梶家の犠牲者と思い込んでいるところから来ていた。そして永年の、梶家に対して自分たち一族の肩身の狭さに対する反撥《はんぱつ》は、冴子の心の中では相当強いものらしかった。

「おばあちゃんは一生可哀《かわい》そうだったのよ。お妾さんにさせられ、可哀そうだったと思わない？　そして年取ったら、こんな薄暗い蔵の中に押し込められてさ。さあ、可哀そうと言ってごらん、言えるでしょう」

冴子はある夜、隣の床の中で、くるりと鮎太の方へ顔を向けて言った。

「可哀そうだ」

鮎太は、冴子の前では自分が彼女の言うなりになるのが自分でも不思議だった。

「おばあちゃんでも、私たちでも、あんたの家とは家柄は違わないのよ。威張ったりしたら承知しないから」

「威張ったことなんかないもの」

「じゃあ、いいけど」

「あなたは私の事を冴ちゃんと言うわね。お姉さまと呼びなさい」

「お姉さんってか」

「お姉さんじゃないの、お姉さま」

鮎太はそのお姉さまという呼び方だけは出来なかった。しかし、心の中では、そうした呼び方をして、着飾って、どこかの縁日を歩いている自分と冴子の、上流家庭の一組の姉弟ででもあるような姿を想像して、心の昂《たか》ぶって来るのを覚えた。

十日程経《た》って、鮎太はもう冴子が自分と祖母の生活から飛び去って行かないことを知った。それは、冴子が、女学校で下級生から万年筆と時計を取り上げた事件をひき起し、そのために一年停学になり、郷里の町にいにくくて、ここへ来ているのだという噂《うわさ》が村へばら撒《ま》かれたからである。それは勿論、日曜ごとに村へ帰って来る冴子と同じ女学校へ行っている村の二人の女学生に依《よ》って伝えられたものであった。

「知らないのはおりょう婆さんだけさ」

そんな同じ言葉を、鮎太は何人かの村人が話しているのを聞いた。しかし、鮎太は冴子をそうした悪人とは到底思えなかった。そうした噂をばらまいた郵便局長の娘と、山葵《わさび》問屋の娘を憎んだ。

冴子が鮎太の生活へ入って来て二カ月程経ったた頃のことだった。

鮎太はある夕方、冴子に、庭の隅の竹藪《たけやぶ》の前へ呼ばれた。

「伊豆《いず》屋の川に向かった奥の新しい部屋を知っている？」

「知っているよ。青い硝子《ガラス》が嵌《は》まっている部屋だろう」

伊豆屋というのは部落に二軒ある渓谷の温泉旅館の一つであった。

「玄関からでなく、そこへ入って行ける？」

「行けるさ。川の石垣を上って行く」

「そう、そして、どうする」

「庭へ出て、檜《ひのき》のところを廻《まわ》って、離れの横を通って——」

鮎太にとっては、伊豆屋の庭は隅から隅まで知っている所だった。夏になると、伊豆屋の直ぐ半町程の下が子供たちの泳ぎ場になった。毎日のように、子供たちは蝗《いなご》のようにそこらを飛び歩き、伊豆屋の広い庭にもぐり込んだし、宿の人の眼を盗んでは、浴場へも冷たい躰を温めに行った。

「じゃあ、あんたに頼むことにするわ。夕御飯済んだら、もう一度ここへいらっしゃい」

鮎太は、如何《いか》なることを冴子から頼まれるか想像はつかなかったが、冴子のいつにない真剣な顔が、彼には満足だった。そして、理由の判らぬ興奮が彼の心を占領した。

夕食が済むと、鮎太は、言われたように、昼間冴子と会った竹藪の横手に出掛けて行った。二、三分すると冴子がやって来た。

「このお手紙を、そのお部屋にいる人に渡して来るのよ。いい？」

冴子はそう言って、懐中から四角な封筒に入っている一通の手紙を取り出した。

鮎太は受取って初夏の夕明りの中で封筒を確かめた。封筒の隅にはコスモスの絵が描かれてあった。

「どんな人？」

「男の人よ。鮎ちゃんも会ったら好きになるわ、きっと」

それからちょっと考えていたが、

「先方で受取らなくても、置いて来るのよ。もしかしたら、持って帰んなさいと言うかも知れない。そうしても、持って帰っては駄目よ」

鮎太は持って行くのは何でもないが、そうした複雑な取引は、ちょっと自分には難しいなと思った。しかし、

「いい、よくって!?」

冴子に眼を見入られて、きっとした表情で言われると、鮎太は口にでかけた言葉を飲み込んでしまわなければならなかった。

伊豆屋までは五、六町の道のりがあった。細長い部落を縦断している街道を通って、部落の外れから、渓谷への道を降りて行った。途中で共同湯から帰って来た三年生の幸夫と四年生の留吉を誘って、一緒に行った。冴子から預かった手紙は留吉に持たせた。

「秘密の使者だからな。口をきいたら駄目だぞ」

「うん」

留吉は手紙を帯の間に挟んで、自分もまた秘密の使者の一員に加えて貰ったことが彼の頬を上気させ、両の眼をきらきらさせていた。

幸夫は、竹の棒をどこからか拾って来ると、それを腰にさして、一人で先きに駈《か》けて行った。坂道を降り切ると、川瀬の音がいっせいに立ち上って来た。鮎太と留吉は磧《かわら》へ降りて行った。川の中の石を次々に飛び移って行って、一カ所だけ膝《ひざ》から下を濡《ぬ》らして浅瀬を横切ると、向う岸へと渡った。そして伊豆屋の二間程の石垣に守宮《やもり》のように張りついてそこをよじ登って行った。

伊豆屋の庭の地面へ躰を乗り出した時、斥候の幸夫が樹蔭《こかげ》から飛び出して来て、

「二人いらあ」

と言った。

「二人って」

鮎太は意外だった。二人いられては手紙を渡す相手を知るのに困ると思った。すると、

「小父《おじ》ちゃんと、あまっこや」

又、幸夫は言った。あまっこと言うのは女の子供のことである。あまっこなら問題

はないと鮎太は思った。小父ちゃんの方へ渡せばいいからである。

鮎太は二人の家来を待たせておいて、自分一人出掛けようと思った。そして留吉から手紙を受取ろうとすると、留吉はそこらをごそごそやっていたが、やがて、帯を解いて裸になり出した。

「どうした」

「どこかへやっちゃった！」

鮎太はすっかりしょげ返ってしまっている留吉の頭を二つ三つ小突いた。

三人は又、そこから今来た道を引き返して、紛失物を探すことにした。川を渡る途中で棄てない限り、道のどこかに落ちている筈《はず》であった。又、川を渡って坂道へ出た。

「ああ、あそこだ、きっと」

留吉は小便をしたところを思い出すと、一人先きに坂道を駈けて行ったが、やがて駈け戻って来た。坂道にただ一つある裸電気の光で見ると、駈け戻って来た留吉は紛失物をこんどは帯には挟まないで口に銜《くわ》えていた。

鮎太はそこで留吉と幸夫を家へ帰らせた。夕食を食べていないので腹が減ったと訴えたからである。

二度目に鮎太が一人で伊豆屋の中庭に立った時は、どこかの部屋からの宴会のさんざめきが川瀬の音に混じって賑《にぎ》やかに聞えていた。

中庭をぐるりと廻って行った。八畳の部屋には、なるほど、小父ちゃんとあまっこがいた。小父ちゃんの方は何となく見覚えがある感じだったが、少女の方は初めてだった。便所の横手の植込みの蔭から鮎太は暫《しばら》く二人の様子を窺《うかが》っていた。

鮎太は、意気込んでは来たものの、植込みの蔭から、明るい電燈《でんとう》の光の射《さ》している中庭へと自分の躰を曝《さら》すことは躊躇《ちゅうちょ》された。手紙を渡す当の男の人より、彼の横で同じように寝そべって雑誌を読んでいる自分より一つか二つ年下の女の子の存在の方が邪魔だった。赤い綺麗《きれい》な着物を着て、彼女は寝たまま膝から下の脚を二本とも撥《は》ね上げていたが、それが、その女の子をひどく活溌《かっぱつ》に見せていた。時々少女は顔を上げて、兄らしい男の方へ何か喋《しゃべ》っては笑いかけていたが、いかにも都会の少女しか持っていない怜悧《れいり》さがその美しい顔には溢《あふ》れていた。

鮎太は十分か十五分、そこに立っていた。よほどこのまま帰ってしまおうと思ったが、冴子の顔を思い出すと、それもできなかった。

鮎太は犬が彼の立っている場所とは反対の方に姿を見せた時、それを機会に植込みから姿を出した。縁側は開け拡《ひろ》げてあった。

「お姉さんがこれを寄越しました」

いきなり鮎太はそう言って手紙を縁側に置いた。

男が黙って立ち上がって来た時、鮎太はこの男が、時々村の禅寺へ遊びに行く東京の大学生であることを憶《おも》い出した。この春も、彼は一カ月近く伊豆屋に泊っていた。大変な勉強家だという噂だった。鮎太たちはこの男の四角な帽子が珍しくて、「大学生、大学生」と口々に言いながら、彼が村を引き上げて行く時、馬車の乗場まで背後からついて行ったものである。

男は頭を坊主《ぼうず》刈《がり》にし、肩の張った大きい躰《からだ》を持っていた。彼は手紙を取り上げると、部屋の隅の机の上に置き、

「君、何年生？」

と言った。

「六年生です」

「蔵の中におばあさんと住んでいるの？」

「そうです」

鮎太は、この大学生が自分のことを知っているのが不思議だった。

「お坐《すわ》り」

一刻も早くこの場所から退散したかったが、鮎太は男からそう言われると、縁側に

腰を降ろした。鮎太は棒縞《ぼうじま》の着物と、縄のような帯と、先刻川を渡る時濡れて、砂埃《すなぼこり》をくっつけて汚れている藁草履《わらぞうり》が気になった。

「お菓子あるだろう」

大学生が言うと、少女はきれいな半紙の上にカステラを二切れ載せて持って来た。それを縁側に置く時、彼女は意味のない笑いを鮎太の方へ見せた。堪《た》まりかねて、

「僕、帰ります」

鮎太が言うと、

「そう、そこまで送って行って上げる」

大学生は立ち上がると、縁から降りて、庭下駄《にわげた》を履いた。少女は器用にカステラを紙に包むと、鮎太の方へ差出した。

鮎太にとっては、それは妙に脆弱《ぜいじゃく》な手応《てごた》えのない紙包みだった。彼はそれを毀《こわ》れないようにそっと手に摑《つか》むと、大学生の背後について歩き出した。

今度は川を渡る必要はなかった。中庭から明るい玄関の方へ廻り、そこから吊橋《つりばし》の方へ出た。吊橋を渡ると、道は少しの間川に沿って走っていた。

「君、六年生なら、来年は中学へ行くんだろう」

「そうです」

「勉強しないと駄目だな」

「――」

「都会の学校は難しいよ。勉強している？」

鮎太は、勉強はしていなかったが、黙って大学生の方へ頷《うなず》いてみせた。急に自分が大人扱いにされているような変な気がした。

「人より二倍勉強するんだな。二倍勉強すれば二倍だけ出来るようになる。朝起きても学校へ行くまで勉強。学校から帰っても、又勉強。――そうすりゃあ、どこへだって入れる」

大学生は殆《ほと》んど独り言を言っているような調子で喋っていた。

「君、勉強するってことは、なかなか大変だよ。遊びたい気持に勝たなければ駄目、克己って言葉知っている？」

「知っています」

「自分に克《か》って机に向かうんだな。入学試験ばかりではない。人間一生そうでなければいけない」

鮎太は、この時、何か知らないが生れて初めてのものが、自分の心に流れ込んで来たのを感じた。今まで夢にも考えたことのなかった明るいような、そのまた反対に暗いような、重いどろどろした流れのようなものが、心の全面に隙間《すきま》なく非常に確実な速度と拡がり方で流れ込んで来るのを感じた。不思議な陶酔だった。

川に沿った道が、川から離れて、折返しに上り坂になる所まで来た時、大学生はふと立ち止まると、何かをびりっと裂いて、それをまるめると川の方へ投げた。

鮎太は、その時、大学生が破いたものが、先刻自分が彼に渡し、彼が机の上に置いた冴子の手紙であることを知った。浴衣《ゆかた》を肩までまくっている大学生の白い右腕の動きが、その時、鮎太には印象的だった。

「じゃあ、もうお帰り」

大学生の言葉で鮎太は頭を一つ下げると、そこから一人で坂を上って行った。

来年は都会の中学校へ入り、両親の許《もと》からそこへ通うことになることは、鮎太の心の中では漠然とした形ではあったが一つの既定の事実となっていた。祖母もそう言っていたし、自分もまたそうなると思っていた。

しかし入学試験というものを、はっきりと意識し、勉強をしなければ合格できないという冷酷な事実が、彼の前に立ちはだかって来たのは、この夜が鮎太にとっては初めてであった。

克己とは何だろう。自分に克つ。その言葉の意味は充分に理解されなかったが、しかし、鮎太はこれまでに、これほど魅力ある言葉にぶつかったことはなかった。

坂を上って行きながら、鮎太は自分を取り巻く闇《やみ》が、いつもとは全く変っていることを感じていた。

家へ帰ると、冴子は蔵の横手の、十数本ある梅林の中で彼を待っていた。

「どうだった？　手紙渡してくれた」

「渡した！」

「何て言ってた？」

「何とも言っていなかった」

鮎太が言うと、冴子は息を飲んだように暫く黙っていたが、

「鮎ちゃん、あの人どう思った？」

「僕は、あの人、好きだ」

鮎太は全く、冴子の心とは遠く離れた別の意味で、そう強く言った。

「幾ら好きでも、私の方がもっと好きよ」

冴子は、特徴のある細い透き通るような声で笑うと、いきなり鮎太の肩を抱きしめて来た。

「いやだ」

鮎太は身をもがいたが、冴子の二本の腕にこめられた力は意外に強いもので、それが身内に滲《し》みるように快かった。冴子は執拗《しつよう》に鮎太の上半身を抱きすくめていたが、やがてくっくっと切れ切れに笑った。冴子の唇が鮎太の頬に捺《お》された。

鮎太は冴子を突きのけると、懐《ふとこ》ろに手を入れた。カステラの紙包みは見る影もなくひしゃげていた。カステラを包んでくれた少女に悪いと思った。

「何、それ」

「お菓子を貰《もら》ったんだ」

「加島さんに？」

加島というのが、大学生の名前らしかった。

「わたしに半分頂戴《ちょうだい》！」

「いやだ」

鮎太はこれだけはやるものかと思った。そして冴子から不機嫌に離れて、蔵の前にある四、五段の石段の方へ歩き出した。

「駄目よ、鮎ちゃん」

冴子は鮎太の前へ廻《まわ》ると、

「それ、お出し」

と言った。鋭い口調だった。

「お出しと言ったら、お出しなさい。あの人は、それ、私に下さったのよ。半分あんたにもあげる」

鮎太はむっつりと立っていた。烈《はげ》しい憎しみを冴子に感じたが、結局、鮎太は冴子に紙包みを取り上げられた。

「それごらん、二つあるじゃないの、一つずつよ」

冴子はカステラの一個を鮎太の手に渡すと、自分の分はちゃんと紙に包んで、それを持って蔵の中へ帰って行った。

鮎太はその晩、なかなか寝つかれなかった。大学生の加島の顔と、俯向《うつむ》いてカステラを紙に包んでいた少女の顔とが、交互に鮎太の眼の前に現われては消えた。そして又、冴子に抱きしめられた時の異様な快感が両腕と肩から消えていなかった。

鼠《ねずみ》が枕許《まくらもと》を走るので、鮎太は起き上がって電燈をつけた。と、同時に、眠れないのなら、勉強をしようかと思った。

「いや、早く消して！」

冴子が言った。冴子も眠っていなかったようである。見ると冴子の枕の横には、カステラの紙包みがきちんと置かれてあった。鮎太はまた電燈を消した。

「あの人、直《す》ぐ手紙読んでた？」

「うん」

鮎太は言った。加島が手紙を破ったことを、鮎太は冴子には伝えなかった。伝えては不可《いけ》ないと思った。それは冴子のためにであるか、加島のためにであるか、鮎太にはよく判《わか》らなかった。

鮎太は翌日から六時に起きて、登校するまでの時間を受験準備に当てた。受験準備といっても、勉強の仕方も判らなかったし、教科書以外一冊の参考書もなかったので、ただ教科書だけを勉強した。

祖母のおりょうは、鮎太が早起きまでして勉強を始めると、見境なく村の誰にでもそれを自慢した。

「やはり梶の血筋は争えんもんじゃ。家《うち》の坊は、毎朝わしらが寝ているうちに起きて勉強しとる」

冴子の方は、初め、勉強なんて、ふん、と言った顔をしていたが、それでも鮎太の早起きが続くと、自分は机に対《む》かっている鮎太の横で、いつまでも寝床にもぐり込んでいながら、蒲団《ふとん》から顔だけ出して、

「窓開けてもいいわよ。わたし寒くないわ。その方が気持いいでしょう、富士山が見えて」

そんなことを言った。

窓を開けると、鉄の棒の間から青い稲田が見え、その向うに下田街道が大きなうねりを見せて、幾つかの小丘陵の間を縫って延びていた。そして、遥《はる》か遠くに、中空に浮くようにして青く長く裾《すそ》をひいた形のいい富士が見えた。

鮎太は学校を引けてからも机に対かうことにした。いままでのように、青年集会所の前の遊び場に行くことはなくなった。

しかし、友達から共同湯に入浴に行くことを誘われると、いつもそれを断わるのにある努力を払った。共同湯に行くには、子供たちはいつも伊豆屋の吊橋を渡って、本館の横を通り抜けるのが普通だった。共同湯という言葉といっしょに、鮎太の眼には、自分にカステラを紙に包んでくれた都会の、怜悧そうな少女と、その兄の、どこかきびしい感じを持っている大学生の面影が映った。

しかし、加島の言った克己という言葉の意味は、そうした自分の、机のもとを離れる欲望と闘うことのような気がした。それに耐え忍ぶことのような気がした。

鮎太が勉強を始めてから十日程した頃、鮎太は冴子から又加島宛《あて》の手紙を頼まれた。

鮎太にはそれを伊豆屋に運んで行くことは大きい魅力であった。しかし、それを持って行くことは、何となく、自分にあのような事を教えてくれた加島の意に反する事のように思われた。

鮎太は、冴子には内緒で、結局はそれを自分では持参しないで留吉に頼んだ。新しい鉛筆一本で、留吉は多少の冒険味を伴った恋の使者の役目を悦《よろこ》んで引き受けた。留吉が帰って来ると、

「小父《おじ》さんどうしていた？　あまっこは？」

と、鮎太は訊《き》いた。

「小父さんはいなかった。あまっこだけが本を読んでいた」

鮎太はいつも読書している少女だと思った。冴子は冴子で、同じようなことを鮎太に訊いた。鮎太は留吉から聞いたことを、そのまま冴子に伝えた。

二、三日置きに、留吉は伊豆屋に使者に立った。三回目か四回目の時、留吉は帰って来ると、

「あのあまっこは肺病じゃげな。おらあ、もう、行くのは嫌だ！」

と言った。

「誰が言った？」

「伊豆屋の小母《おば》ちゃんが、おらの家へ来て言っていた」

「肺病なんて、なんでもないや」

「でも、おらあ、もう嫌だ」

「嫌だ!? もういっぺん言ってみろ」

鮎太は、その時、自分より三つ年下の少年を殴らんばかりの形相で睨《にら》みつけた。どうして、突然、怒りが自分を襲ったか、鮎太は自分自身で見当がつかなかった。

留吉が使者を辞退したので、次の時は、幸夫を使者に立てた。

「小母ちゃんが来ていて、荷物を作っていた」

と、幸夫は報告した。小母ちゃんという人物がいかなる女性か見当はつかなかったが、荷物を造っていたというのは、彼が伊豆屋を引き上げるのではないかと思った。

「手紙は誰に渡した？」

「小母ちゃん」

小母ちゃんに渡したということが、ちょっと気にならないこともなかったが、鮎太はそのことは冴子には内緒にしておいた。

翌朝、鮎太は勉強を早く打ち切って家を出ると、留吉と幸夫の二人を伊豆屋へ偵察に派遣した。加島とあの少女が今日この村を引き上げて東京へ帰るのではないかと思ったからである。留吉と幸夫が帰って来ての報告は、やはり鮎太の予感を裏書きしていた。

「小母ちゃんと肺病のあまっこが、荷物を持って、坂道を上って来た。おらあ、直ぐ逃げて来た」

留吉は言った。

鮎太は腹が痛くなったからと言って、登校の子供たちの一団から離れると、少し遠廻りして、学校の横手の雑木山の中腹に上って行った。そしてそこにある学校の開墾地のある斜面へ出て、草の上に腰を降ろした。そこからは部落が一望のもとに見降ろせた。五、六十軒の農家が、清澄《せいちょう》な空気の中に、それぞれ木々の茂みを抱いて散らばっている。小さい玩具《おもちゃ》のような小学校も、役場も、村人がお役所と呼んでいる営林署の建物も、村で一番大きい鮎太の家も、土蔵も、椎《しい》の老樹も手に取るようにくっきりと見えていた。

役場の横手の駐車場には一台の馬車が停まっており、五、六人の人たちが、その馬車の周囲を取り巻いていた。人間の姿は一様に小さくて、大人も子供も見分けはつかなかった。

五分程すると、のろのろと馬車が動き出した。鮎太はその馬車が長い下田街道に沿って動いて行き、隣部落の小さい丘陵の蔭《かげ》に匿《かく》れて見えなくなるまで、瞬《また》きもしないで見守っていた。そして、馬車が見えなくなった時、鮎太は、カステラの少女は、これでもうこの村からはいなくなってしまったと思った。

鮎太は、二時間目から登校することにして、残りの三十分程の時間を、そこで算術の応用問題に当てた。昨日までどうしても解けなかった問題が何題かすらすらと解けた。鮎太は、晴れ晴れとした、しかしどこか淋《さび》しさのある気持で、人目につかぬように山を降りて行った。

その日学校から帰ると、冴子が少し怖い顔をしていた。

「あんた、あの手紙を誰に渡した？」

鮎太が返事に窮していると、

「加島さん、お母さんに渡したと言って憤《おこ》っていたわ」

と言った。

「あのひと、まだここにいるの？」

鮎太は加島もまた、今朝あの馬車で帰ったものとばかり思っていたので、こう訊いた。

「勿論《もちろん》、いるわよ。わたしがいるんだもの」

そう言った冴子の眼は、いつになく熱っぽくきらきらしていた。

鮎太はいつどこで、冴子が加島とそんな話をするか、ちょっと見当がつかなかった。二人がもしそういう時間を持つとすれば、鮎太が学校へ行っている時のこととしか考えられなかった。

しかし、冴子はこの村の人たちに最初から憎悪《ぞうお》に似た感情を持っていて、よほどの用事でもない限り家から出歩くことはなかった。村人の誰にも会うのを、彼女は極端に嫌っていた。

東京の少女とその母親が村を発《た》ってから二、三日してのことだった。鮎太は学校から帰ると、部落の外れの小さい村社の裏手の山へ登って行こうと思った。地理を暗記するためであった。

勿論、神社の境内には誰もいなかった。鮎太が神社の境内を通り抜けようとすると、突然杉の木立の中から冴子が飛び出して来た。

冴子が鮎太の姿を見付けて飛び出して来たのか、冴子が飛び出した時、そこへ鮎太が行ったのか、その間の事情は判らなかったが、冴子の表情は、いつもと違っているように、鮎太には見えた。

「お家へ帰ろう」

と冴子は言った。

「何していたんだ？」

「何もしていないわよ。ばかね。今日は口をききたくないの。黙っておいで！」

そう言った冴子の美しい顔の中で、二つの瞳《ひとみ》が濡《ぬ》れているのが、鮎太には気になった。

「泣いていたのか」

「悲しいことがあれば、誰だって泣くわ」

「悲しいことがあったのか」

「そんなものあるもんか」

男の子の口調で言って、

「さあ、真直ぐに歩いて行くの。背後《うしろ》を見たら諾《き》かないわよ」

と冴子は言った。背後に何があるか、何者がいるか知らないが、鮎太は冴子に言われるままに、素直に一度も背後を振り向かないで歩いて行った。

途中、小川で顔を洗っている冴子が、鮎太には何か哀れな感じで眼に映った。

更に一週間程して、こういうことがあった。

深夜、鮎太が眼を覚ますと、隣の部屋で祖母と冴子の会話が聞えていた。

「どこへ行って来たんか、二時間も」

いつになく咎《とが》め立てしている祖母の声だった。

「歩いて来たのよ、眠れないから」

「ろくでなし！」

それには答えないで、冴子は彼女と鮎太の二人の寝床の敷いてある方へやって来ると、やがて着物を脱ぐ音が暗闇《くらやみ》の中から聞えて来た。

「どこへ行って来たの」

鮎太は小声で、寝床にもぐり込んだ冴子に声をかけた。すると、冴子の上半身が鮎太の蒲団の中にはいって来た。そして冴子の顔が、鮎太の耳許にかぶさって来たかと思うと、

「トオイ、トオイ山ノオクデ、フカイ、フカイ雪ニウズモレテ、ツメタイ、ツメタイ雪ニツツマレテ、ネムッテシマウノ、イツカ」

そう言うと、冴子は又自分の寝床の方へ引き上げて行った。そして、

「早く眠んなさい。明朝早いでしょう。起きたら、直ぐ、お砂糖湯を飲めるようにしておいて上げるわよ」

と言った。それは本当の姉のように優しい口調だった。鮎太は生れてこれまで、こ

れほど愛情深い労《いた》わりのある口調の言葉を耳にしたことはなかった。

翌朝鮎太が眼覚めると、冴子は既に起きていた。そして本当に、熱い砂糖湯のはいった茶碗《ちゃわん》を窓際《まどぎわ》の机の上に運んで来ると、

「お蔭で睡《ねむ》たいわ」

と言って、又、自分の寝床にはいってしまった。夏の早朝の白い光の中で、冴子の真直ぐに天井に向けている寝顔は、鮎太には、いつか伊豆屋で見たカステラの少女よりも、もっと清らかで美しくさえあるように見えた。

八月に、鮎太は任地の豊橋《とよはし》に住まっている両親のもとへ、一年ぶりで、そこで夏の休暇を過すために出掛けて行った。

鮎太には、そこの二十日間の生活がひどく長く思われた。祖母と冴子との三人の生活の方が、気楽で、ずっと楽しいと思った。母に映画や芝居を見せて貰《もら》ったが、さほど面白いとは思わなかった。

豊橋の連隊に入隊している郷里の部落の兵隊が帰省するので、それに託されて、鮎太は九月の初めに、部落へ帰って来た。

土蔵の北側の、鮎太の勉強机の置いてある窓のところに「克己」と墨で認《したた》められた

紙がピンで留められてあった。

「これ、どうしたの」

「わたしが書いたの」

「嘘《うそ》言っていらあ！」

明らかに、それは冴子の字ではなかった。鮎太がいくら訊いても、冴子は笑いながら、そう言い張ってきかなかった。

鮎太はなんとなく、これを書いたのは加島ではないかと思った。あるいは、加島はこれを自分で書いて、あの伊豆屋の部屋の壁にでも貼《は》っておいたのかも知れなかった。それを冴子が剝《は》がして来て、ここに貼ったのではないか。

「あのひと、まだいる？」

「帰ったわ」

冴子は短く言って、別段その事には何も触れなかった。

天城の山肌の色が変って、山の稜線《りょうせん》すれすれに秋の白い雲が浮かぶ頃から、鮎太は真剣に受験準備にヘビーをかけて行った。学校へ行っている以外は、いつも蔵の北側の窓の傍の机から離れなかった。

「よく、勉強をするわねえ」

冴子は、さすがにそんな鮎太に兜《かぶと》を脱いだ形で、何かと親身に鮎太の世話をやいてくれた。毎晩のように、遅くなってから何か食べものを造ってくれたり、鮎太の机の上に、コスモスや、ダリアの花を、サイダー瓶に入れて、載せておいてくれたりした。

十月の村祭りの後で、冴子は家へ帰って来ると言って、二晩家をあけたが、帰って来ても何も話さなかった。祖母の方はすっかり彼女の帰省を信じていたが、鮎太は、彼女の行った先きが、決して彼女の母のいる港町ではないことを知っていた。

冴子はその時、鮎太に参考書を二冊買って来てくれたが、その書物の包紙は、彼女の郷里の港町とは反対側の、半島の基部の海水浴場で有名な小都市の書店のものであった。

鮎太はすぐそれに気付いたが知らん顔をしていた。

「鮎ちゃん、勉強するわねえ。そんなに勉強して面白いの。でも、男は勉強しないと駄目ね。一生勉強するのよ。わたし、段々、勉強する人が好きになるわ。なぜだか知ってる？」

そんな事を、ある時、冴子は言った。

「知るもんか」

鮎太は言ったが、そんな冴子の言葉は、恐らくあの加島という大学生の影響であろうと思った。しかしそれを口にするのは、何となく、鮎太には憚《はばか》られた。

すると、冴子は、

「教えて上げようか」

「うるさいな」

「教えて上げるわよ、誘惑って知っている？　勉強するひと誘惑するの、面白いからよ」

しかし、その時の冴子の顔は決して面白そうではなかった。

例年より早い冬がやって来た。十一月の初めにはもう富士は真白だった。そして同じ月の終りには、天城続きの一帯の山々に初雪が降った。

鮎太は睡眠時間をつめて机に対《む》かっていた。土蔵の中だから、隙間《すきま》風の寒さはなかったが、夜も朝も、机に対かっていると、手足が凍えて感覚を喪《うしな》った。

「冷たいわねえ、まあ、可哀《かわい》そう、もう暫《しばら》くの頑張りね」

冴子は、ある時、珍しくしんみり言って、冷たい鮎太の手を取って、自分の手の中に包んだ。十二月の中旬の夜だった。

冴子の手も同じように冷たかった。鮎太はその時、冴子の手指の白く華奢《きゃしゃ》なことに初めて気付いた。いつか冴子に抱きしめられた時とは違って、鮎太はいつまでも冴子に手を握らせておいた。

冴子のその時の動作には、少しも毒のある感じはなく、その手から次第にこっちに伝わって来る体温の温かみは、姉か母の持つに違いないそれと同じもののような気がした。

冴子が祖母に、この前と同じように港町の家へ帰って来ると言って出て行ったのは、その翌日のことであった。三日程と言って出て行ったが、冴子は一週間経《た》っても帰って来なかった。

鮎太は冴子がいなくなると、勉強するのに気が抜けた気持だった。

日曜の珍しく暖い日のことだった。どこからか帰って来た祖母が、

「この寒いのに酔狂なことじゃ。天城に心中もんがあったそうだ」

と言った。山を降《くだ》って来た炭焼人夫の報告だということだった。

その祖母の言葉を鮎太は自分の机の前で聞いたが、はっとして立ち上がった。

「心中もんが見付かったの」

「そういう話じゃ。どうせ雪の中だから、二、三日ほっといても腐らんけに、若い衆(青年)も、出るのは明日か明後日《あさって》にするそうじゃ」

村では心中事件はそう珍しくなかった。一年に二回か三回同じような事件が都会の

若い男女に依《よ》って惹《ひ》き起され、その度に、村では青年たちが駆り出された。

鮎太は祖母の横を擦り抜けると、階段を降りて戸外へ出た。その前日まで吹いていた風は落ちて、真冬の陽が、早咲きの花をつけている梅林に静かに降っていた。

鮎太は青年詰所に行って、そこにいた二、三人の子供を使って、部落の三年以上の子供たちを集めさせた。

「天城の心中もんを見に行くんだ。みんな支度をして来い」

と、鮎太は一同に命令的に言った。十四、五人の子供たちは、すぐそれぞれ家へ戻って行ったが、みんな首に襟巻を巻きつけ、腰に手拭《てぬぐ》いをつけ、途中で切れる心配のない藁草履《わらぞうり》を履いて、又詰所に集って来た。

子供たちは部落を外れるまでは大人たちに怪しまれぬようにのろのろと歩いて行ったが、部落を外れると、いっせいに駈《か》け出した。そして駈けたり、停まったりして、下田街道を天城の峠の方に向かって進んで行った。

いままで、いかなる心中事件の場合も、子供たちは大人たちに現場を見せて貰えなかったので、それを自分たちの眼で確かめるということは、それだけでも大きい魅力であった。

子供たちは部落を出る前に、大人たちの口から今度の心中事件の現場が峠より半里程手前の、杉林の中だということを聞き知っていた。そこまでは一里半程の道のりだった。

街道が渓谷に沿ってじぐざぐに折れ曲るころから、街道は雪で白くなり、杉木立が多くなって来る頃から、雪は一歩一歩深くなった。

S橋の手前で、足指の冷たさに我慢できなくなった子供たち三人が落伍《らくご》して、彼等は路傍に切り倒してある杉丸太の雪を払って、その上に乗って、他の連中が帰って来るのを待つことになった。

更に半町程行くと、又、数人の子供たちが落伍した。二人の四年生が泣き出し、三、四人が、おらあ、もう嫌だと言い出した。

結局鮎太と、やはり同じ六年生の堅市と佐次郎の三人が、落伍者たちを路傍に残して、足指を真赤にしながら、心中というものの妖《あや》しい魅力に惹かれて行った。

現場はそこから直《す》ぐだった。杉木立の中に、二人の男女が半分雪に埋れて倒れていた。

雪は二人の男女の顔の高さとすれすれに降り積っており、四辺《あたり》は少し蒼味《あおみ》を帯《お》んだひどく静かな世界だった。

鮎太はやっぱりお姉さんだったと思った。男の方の顔は半分雪面に俯伏《うつぶ》しているので誰か判《わか》らなかったが、鮎太はそれを確かめなくても、それが大学生の加島であることを信じて疑わなかった。山ノオクノオクノ山オクデ、フカイフカイ雪ニウズモレテ。鮎太は冴子がいつか耳もとで囁《ささや》いた言葉を思い出したまま、堅市と、佐次郎に、

「歩くな、歩くな」

と言って、いつまでも半分雪の面に埋まっている冴子の白い手首を見詰めて立っていた。二人の友達に歩き廻《まわ》られて、美しい雪面を汚されることが怖かった。

自分に克己ということを教えてくれた大学生の加島が誘ったか、冴子が誘ったか、勿論《もちろん》それは判らなかったが、自分に今までに一番大きいものを与えてくれた二人の人間が、同時に、同じ場所で死んでいることが、鮎太の心に悲しみよりもっと大きい得体の判らぬ衝撃を与えていた。二つの全く異質なものが、雪に包まれて、息をひそめている感じだった。

気がつくと、二人の死体の右手に、杉の木立に混じって、翌檜《あすなろう》の老樹が一本だけ生えていた。鮎太はいつか冴子が家の庭にある翌檜の木のことを、

「あすは檜《ひのき》になろう、あすは檜になろうと一生懸命考えている木よ。でも、永久に檜にはなれないんだって！　それであすなろうと言うのよ」

と、多少の軽蔑《けいべつ》をこめて説明してくれたことが、その時の彼女のきらきらした眼と一緒に思い出されて来た。

あすなろうの木の下で二人が横たわっているそのことに何の意味もあろう筈《はず》はなかったが、その木の命名の哀れさと暗さには、加島の持つ何かが通じているように鮎太には思われた。

この二人の死を超えて行かねばならない。己れに克《か》って人生を歩んで行かねばならない。中学に入って、沢山本を読まねばならない。そんないろんな昂《たか》ぶった感情が入り混じって、いっせいに鮎太の心から噴き出し、それが鮎太をそこに棒立ちにさせていた。

「おらあ、もう帰るぞ」

どういう理由か、ひどくしゅんとした顔になっている堅市の声で、鮎太は現場に背を向けたが、その時初めて、鮎太は二人の死の持つ本当の意味が、その怖《おそ》ろしさと悲しさが、突然大きい勢いで自分を押し包んで来るのを感じた。

寒月がかかれば

中学三年生の鮎太は、静岡県西部の、県下最大の人口を有する工業都市の中学校では、秀才として通っていた。一年の時も、二年の時も、進級成績は抜群で、開校以来の秀才というような言葉が、教室で大人しい鮎太に好意を持つ国漢の教師の口から出されたりした。

鮎太は何を勉強しても、自分で他の生徒より出来るものと思い込んでいた。他の生徒もまた鮎太を見る眼は違っていた。成績のいい品行方正な生徒は、とかく悪童連から揶揄《やゆ》や嘲笑《ちようしよう》の対象にされ易《やす》かったが、鮎太ひとりは別格で、そうした生徒たちも鮎太の頭脳の優秀さには、何となく敬意を払う以外仕方がないと言ったような恰好《かつこう》であった。

鮎太は一年生の間だけ家から通学したが、二年になった春、父の台北《たいほく》への転任と同時に寄宿へ入った。父の任地が転々と二、三年ごとに替るので、台北の学校へ転校しても、どうせまた二、三年でどこかへ替らなければならず、なるべくならこのまま内地の中学校に置いておいた方が、本人のためにいいという両親の考えから出たことであった。

それに鮎太自身、おりょう婆《ばあ》さんのもとで幼時を過し、そのために親子の愛情が薄くなったとでも言うのか、おりょう婆さんの死後両親と一緒に過した一年間の生活にはさして魅力も感じていなかったので、父母の許《もと》から離れることに格別の淋《さび》しさも感じていなかった。

寄宿舎では鮎太は上級生に可愛《かわい》がられた。上級生の眼には、鮎太は特殊な勉強好きの頭のいい生徒として映っていたようである。

「おい、シンドウ、二頁《ページ》ほど訳してくれ」

よく五年生からリーダーの訳を頼まれた。

鮎太は誰からも、シンドウ、シンドウと呼ばれていた。梶とも、鮎太とも呼ばれなかった。「神童」という言葉がそのまま鮎太の綽名《あだな》になったのである。

三年生の二学期の終り頃、鮎太は同じ県の、伊豆半島の基部に位置している避暑や海水浴で名を知らされているN市の中学校へ転校した。それは鮎太が病弱であったので、少しでも郷里に近く、親戚《しんせき》や知人のある所の方が、何かと親許を離れている鮎太にとって好都合であろうという両親の考えに依《よ》るものであった。

鮎太も転校には異存はなかった。別に親しい友達があるわけでもなく、寄宿生活というものの単調な味気なさにもうんざりし始めている際だったので、郷里の伊豆に近い町の中学校に入って、そこで環境を変えて勉強するのもよかろうと思った。

鮎太には何よりその都市が郷里の伊豆の天城山の麓《ふもと》の村に近いということが気に入っていた。時折、日曜、祭日と休みの続く時など、小学校時代を過した郷里の部落の土を踏むことが出来たらどんなに素晴らしいだろうと思った。おりょう婆さんが亡《な》くなった後は、おりょう婆さんと二人で住んだ蔵には、他国者の小学校教師の夫婦が住んでいたが、それでも村には遠慮なく泊めて貰《もら》える親戚が何軒かあった。

それから又その都市が海を持っているということも大きな魅力であったし、その都市で渓林寺という禅宗の寺に下宿するということも、それだけで鮎太の心を有頂天にした。生れて初めて、自分一人の部屋を持ち、そこに自分の机を置き、誰にも遮《さまた》げられず勉強することができるということは、考えただけでも素晴らしかった。

この転校問題は、夏休暇に台北の両親の許に帰った時初めて話に出て、二学期の中頃に実現した。二学期の初めに直《す》ぐにも転校は出来たが、十月に県下の各中学校の三年以上の、学年別の、綜合《そうごう》試験が行われることになっており、そのコンクールに鮎太は他の二人の生徒と共に出場することに決まっていたので、鮎太としてはその権利を放棄するのは惜しかったのである。鮎太は他の二人の生徒と一緒に、二時間程汽車に乗って、県庁所在地のS市へ行って、そこの中学校の講堂で、各校から選抜された三十名ほどの生徒たちと成績を争った。鮎太は眼鏡をかけていなかったが、大部分の生徒が眼鏡をかけており、俯向《うつむ》いて歩く共通した癖を持っていた。

鮎太は試験問題が配られる前に、自分の席の周囲を見廻《みまわ》して、あまりいい気持はしなかった。揃《そろ》いも揃って薄い胸をした少年たちが、いやに眉《まゆ》をひそめた大人びた顔付きで、窓の方へ顔を向けたり、鉛筆の先きに眼を当てたりしていた。そして試験官が何か冗談を言ったが、誰一人笑わなかった。

試験の結果は鮎太が一番だった。その試験の結果が通達されて一週間目に、鮎太は新しい中学の校門をくぐった。前の中学では三年生が二百人あったが、こんどの中学では半数の百人だった。

渓林寺は、半島の西海岸の漁村漁村を廻る発動機船の発着所のある狩野《かの》川の河口近くにあった。

渓林寺の玄関の横の六畳間が彼の与えられた部屋であった。新調した机を窓際《まどぎわ》におき、その前に坐《すわ》ると、発動機船のぽんぽんという蒸気の音が直ぐ傍で聞えた。

鮎太はその日これから二年余りの生活を送るN市に着くと、直ぐ渓林寺に行って、そこに鞄《かばん》を置くと、中学校に出かけて、転校の手続きを終え、午後の最後の授業に出席して、寺の一間へ帰って来たのである。

寺は五十ぐらいの住職夫婦と去年女学校を卒業した雪枝《ゆきえ》という一人娘と庭男の老人の四人暮しだった。渓林寺の一番大きい檀家《だんか》が鮎太の家の遠縁に当っており、そこの紹介だったので、寺としては、鮎太は大切にしなければならぬ筋合になった。

雪枝に会ったのは、その日鮎太が中学校から帰って、机の前へ坐ったばかりの時であった。

「ああら、あんた、鮎太さんって言うの」

明るい声と一緒に、障子を明けて顔を出したのは、ちょっと珍しい程の大柄な肥《ふと》った娘であった。

「僕、梶鮎太です」

鮎太は固くなって頭を下げた。雪枝の方は頭を下げず、じろじろと鮎太を見廻していたが、

「秀才で大人しいんですって!? それも結構だけど、運動して躰《からだ》をつくらなければ駄

目よ。そのために、あんた、ここへ来たんでしょう。わたし聞いているわ」

そう言ってから、

「さっそくだけど、お庭掃いて頂戴《ちょうだい》。スパルタ式よ、ここ！」

鮎太はびっくりしたが、その言い方は不快ではなかった。言葉は娘として荒っぽかったけれど、表情は明るく、絶えず顔のどこかの部分が笑っているようであった。

鮎太は庭へ出て、渡された箒《ほうき》を持って、庭を掃いた。庭は二百坪ほどの広さを持っており、それを全部掃くのは容易なことではなかったので、鮎太はこれは大変なことになったと思った。

鮎太が半分ほど掃いた時、雪枝は十名程の小学校の子供たちを連れて来て、それぞれに箒を渡して、

「さあ、これ全部を、みんなで掃くのよ。よくって」

それから合図をして、掃除を始めさせると、鮎太の方に、

「あんたもういいわよ」

と言った。子供たちは近所の子供たちであった。

「自分のおうちの庭を掃くように丁寧に掃くのよ。お寺の庭だなんて、ずるい考えを起したら承知しないから」

雪枝は小さい鐘楼の石組に背を凭《も》たせ、子供たちの掃除を監督しながら、鮎太が思わず顔を見るほどの大きい声で、どこかの高等学校の寮歌を唄《うた》った。口を大きく開けたり、反対にまるく小さくつぼめたりして、その唄い方は、傍の鮎太など眼中においていない表情たっぷりの自由奔放なものであった。唄声は思いっきり高く、そして所々、歌詞は微妙に震えた。

鮎太には、その歌が果して上手《うま》いか下手か、調子に合っているか、いないか、全然判《わか》らなかった。しかし、独特の調子を持ち、それはやはり美しいもののようであった。雪枝自身が陶酔して唄っているので、あるいは鮎太の耳は、それを美しいものとして受取る以外仕方がなかったのかも知れない。

庭の掃除が終ると、雪枝は、

「鮎太さん、お風呂《ふろ》の水汲《みずく》み手伝って」

と言った。

鮎太は雪枝と背戸《せど》に出掛けて、バケツで井戸から水を汲んでは勝手の横手の据風呂まで運んだ。

「沸かすのは交替よ。今日はわたしがやるから」

「僕、明日やるんですか」

「もちろん。禅宗のお寺では、自分で風呂焚《た》きしないで、お風呂に入るなんて、そんな料簡《りょうけん》は通らないわよ」

言い方は、つっけんどんで容赦なかったが、雪枝の口から出ると全然毒がなかった。

夕食は庫裡《くり》の板の間で、家族全部いっしょに食べた。住職は無口で家事一切に干渉しなく、母親は温和《おとな》しいばかりのお人よしらしかった。雪枝はこの二人の手でわが儘《まま》いっぱいに育てられていた。

夕食後鮎太は風呂にはいった。入浴の順番は住職の次が鮎太で、その次が雪枝だった。鮎太が部屋で机に向かっていると、雪枝が風呂の中で昼間唄ったのとは違うがやはり同じような寮歌を大声で唄っているのが聞えて来た。

朝は六時に起された。そして朝食のあと登校するまでの時間、鮎太は雪枝と一緒に廊下を隔てて別棟になっている本堂の掃除をした。しかし、これも昨日の庭の掃除と一緒で、鞄を肩に下げた一団の小学校の生徒たちが狩り集められると、鮎太は作業から放免された。

子供たちはみんな鞄を本堂の廊下に置いて、手に手に雑巾《ぞうきん》を持って、長い廊下を四つ這《ば》いになって走った。

「太一はやり直し、もう一度丁寧に拭《ふ》いて！　清ちゃんはバケツの水を換えておいで」

　雪枝自身は何もしないで、こまめに動いている十数人の小さい子供たちの間をゆっくりと歩きながら、それぞれに言葉をかけて、上手に使っていた。

　子供たちが柔順に彼女の命令に服し、嫌な顔一つしないところは、全く雪枝という娘の持っている人徳の力であるらしかった。

「さあ、みんな、雑巾をしぼって、きれいに勝手の横の陽当りに干したら、遅れないように学校へ行きなさい。ぼやぼやしていては駄目よ」

　使うだけ使うと、雪枝は子供たちを解放し、鮎太に、

「あんたも早く学校へ行かないと、遅くなるわよ」

　と言った。

　鮎太にとっては、全く今までに経験したことのない生活が始まった。庭掃除と風呂の水汲みと本堂の掃除が日課になった。鮎太は雪枝の仕事を半分受持ってやるために、渓林寺に下宿したようなものであった。実際に、雪枝自身も、

「あんたが来たんで、お蔭《かげ》で助かるわ」

　と言っていた。鮎太は呼び出されて、風呂に入っている彼女のために、薪《まき》をくべてやることがあった。鮎太はみごとなはち切れそうな雪枝の白い肉体が眩《まぶ》しかった。鮎

太は雪枝の方は向かずに単語のカードをめくっては、火吹竹を吹き、又単語のカードをめくった。

鮎太が転校して十日程した時、受持の教師に呼び出され、近く学芸会があるから何かやらないかと言われた。

「リーダーを暗誦《あんしょう》します」

と、鮎太は答えた。鮎太が選んだのは五年生が課外読本に使用しているリーダーだった。

鮎太はそれから、学芸会までの十日間を、リーダーの暗誦に費した。夜、渓林寺の境内を何時間ものべつ幕なしにリーダーの文章を口に出して、暗記しながら歩いた。鮎太は暗記力にも自信があったし、語学の力も、五年生の学力は充分に持っていた。

学芸会の当日、鮎太は一時間にわたって、本も持たずに、英国の有名な新聞記者だという人の文章を、機関銃のように口から発射した。面白いほど、文章はいささかの澱《よど》みもなく彼の口から流れた。場内は呆気《あっけ》に取られて、水を打ったようにしんとしていた。一年坊主が退屈して躰を動かすほか、他の生徒は鮎太の口ばかり見詰めていた。

鮎太は途中一度だけ口を動かすのをやめて、水を飲んだ。演壇の横手の教師たちの席を見ると、リーダーを開いて膝《ひざ》の上に載せている教師の姿も二、三見えた。

一時間きっかりで、鮎太の暗誦は中止の命令を受けた。余り一人で時間をつかいすぎるからであった。鮎太はまだ五分の一程残っていたので、それを中止されたのが惜しい気持だった。彼は壇上から降りて、自分の席に就くと、口には出さないで、その残りの五分の一を誦し終った。

学芸会が終って講堂を出ると、無数の讃嘆《さんたん》と好奇の眼が自分に注がれているのを、鮎太は感じた。

教室へ戻って、鞄を肩にして、それからそこを出て、家へ帰るために運動場をつっ切ろうとした時、鮎太は、背後から五年生の一人に呼びとめられた。

「ちょっと、こっちに来い」

言葉使いが荒かったので、微《かす》かな不安が感じられたが、鮎太は五年生の後について行った。連れて行かれたところは武道の道場の裏手であった。数人の五年生が煙草《たばこ》を喫《の》みながら立っていた。

「おめえの頭は少しどうかしているな。普通の頭にしてやろう」

一人がそんなことを言ったと思うと、同時に鮎太は眼の前が真暗になるのを感じた。右によろめけば、右から殴りつけられ、左へよろめけば左から殴られた。

「かんにん、かんにん」

「何言っていやあがる！　まだ口がきけるじゃあないか」

鮎太は頭をかかえたまま、地面につくばっていた。五分間程鉄拳《てっけん》の雨が降り注いだ。

「これから、一週間に一回ずつ、頭の洗濯をしてやる。毎土曜の二時にここへ来い」

鮎太はそんな言葉を遥《はる》か遠くに聞いた。やっとのことで立ち上がった時は誰もいなかった。眼も鼻もいっしょになった程、顔は腫《は》れ上がっていた。

渓林寺へ帰ると、雪枝は驚いて、

「どうしたのよ」

と、眼をまるくしたが、鮎太の話を聞くと、

「だから、そんな莫迦《ばか》なことをするもんじゃあないの。わたしだって、それを聞いていたら殴りたくなるわよ」

とたしなめるように言った。そして雪枝は直ぐ床を敷いて、鮎太を寝せると、まめまめしく勝手と部屋の間を行ったり来たりして、タオルを水に濡《ぬ》らしては、鮎太の顔を冷やした。

鮎太は三日間学校を休んだ。反抗も憎悪《ぞうお》も感じなかった。恐怖だけがあった。

「先生に話そうかしら。僕、また殴られるのは嫌だ」

鮎太が言うと、

「先生になんて言いつけたら、こんどはわたしがあんたを殴るわよ。大体あんたという人は少し欠けたところがある。もっと口惜《くや》しがりなさい。怖がってばかりいては駄目！　男はくやしがるの」

雪枝は鮎太のこの事件に対する態度が堪《た》まらなくはがゆいようであった。

四日目に、大体顔の形が正常に戻ったので、鮎太は登校した。上級生の顔がみんな悪鬼に見え、彼らの視線が自分に注がれる度に、鮎太は悪寒に襲われて顔を下げた。

その日学校を退《ひ》けて校門を出ようとすると、門から少し離れた所に雪枝の立っている姿が見えた。躰が大柄なところへ、派手な着物を着ているので、雪枝の姿は葉のない桜並木の下でひどく目立って見えていた。

鮎太は、雪枝が自分を待っているに違いないと思った。彼女の前へ自分の姿を現わすのは躊躇《ちゆうちよ》された。生徒はひっきりなしに校門を出て行き、みんな雪枝の方へ視線を投げていた。

「あ、お寺のお雪がいらあ」とか「お寺の雪ちゃん」とか言う囁《ささや》きが、校門を出て行く何人かの上級生の口から出るのを、鮎太は聞いた。雪枝が中学校の上級生の仲間では既に有名であることを、この時初めて鮎太は知ったのである。

そのうちに、鮎太は雪枝の眼がふと自分に注がれたのを感じた。見つかったと思った。

「何しているのよ、そんなとこで――」

雪枝はつかつかと近付いて来ると、

「ここで待っていて、あんたを殴りつけた奴《やつ》を言いなさい」

と言った。鮎太はそれだけはごめんだと思った。鮎太は物も言わずに、雪枝の前をすり抜けると、そこから駈《か》け出そうとした。が、鮎太の鞄《かばん》は雪枝の手に摑《つか》まれていた。

「なぜ逃げるの」

「だって――」

「駄目ねえ、羞《はずか》しがることないじゃあない」

「だって――、もう、みんな帰っちゃった」

実際、鮎太は自分を殴りつけた上級生の何人かが校門を出て行ったのを見ていた。

「帰ったのなら、駅へ行ってみましょう。どうせ、そのうち何人かは汽車通学でしょう」

「駅なら行く」

鮎太は一刻も早くこの場を逃れたいばかりに、そう返事をした。

それから鮎太は雪枝に付添われてN市の大通りをぬけて駅まで行った。駅の建物が見えて来ると、鮎太の足は重くなった。

駅へ着くと、雪枝は待合室に入って行った。

そこには汽車で通学するN市の中学生や女学生たちが溢《あふ》れていた。

「あそこに一人いる」

鮎太は一人だけを指し示した。一人でも指し示さない限りいつまでも放免されそうになかったからである。

鮎太の指し示した生徒は、五、六人の生徒と一団になって、改札口の横に立っていた。いずれも学帽を少し横っちょに前深にかむって、自ら善良な生徒でないことを誇示していた。

雪枝はその方へ近付いて行くと、

「あんたか、弱い者を弄《いじ》めたのは」

と、その生徒の前へ立ちはだかった。

「これから指一本触れないと誓いなさい。でないと諾《き》かないから――」

言われた五年生は、口をもぐもぐさせていたが、他の一団の生徒と一緒に、後ずさりして行った。

「あのひとは、躰が悪いから私の家で預かったのよ。変なことをすると、承知しないよ」

言うだけ言うと、雪枝はくるりと背を向けて、これは大変なことになったと思っている鮎太の方へ引き返して来た。

「もう、これで大丈夫。――久しぶりで駅の方へ来たんで、ちょっと学校へ寄ってみるわ。直ぐ帰るから一緒にいらっしゃいよ」

雪枝の言う学校と言うのは、彼女が出た女学校のことだった。

鮎太にとっては、この申し出も余り香《かんば》しくはなかったが、学校の門の外で待っていると言うことで妥協して、鮎太は雪枝の後へついて行った。

女学校は駅から四丁程隔たった町の外れにあった。鮎太は校門の方へ行かずに、運動場の墻《かき》一つで隣り合っている道路のところで彼女の帰って来るのを待っていた。

放課後の運動場へ雪枝が入って行くのが見えた。何十という紺の制服がいっぱいにばら撒《ま》かれている中で、雪枝の和服だけが異様に目立っていた。

忽《たちま》ちにして、運動場の真中で、雪枝は紺の制服たちに取り巻かれた。何の話をしているか、その塊りから、時々、明るい花やかな笑声が爆発して、それが鮎太のところまで聞えていた。

と、雪枝を取り巻いている制服の塊りが幾つかに割れた。鮎太は雪枝が身を低く屈《かが》めて、軽ろやかなモーションで、地面の上に半周を描くのを見た。着物の裾《すそ》が割れて廻《まわ》った。円盤だった。円盤はまるで生きものの様に、きらりきらりと午後の陽に光りながら、空の高処へと吸われて行った。鮎太には、その小さい物体が描く抛物線《ほうぶつ》は何処《こ》までも限りなく遠くに伸びて行くように見えた。

〃お寺の雪ちゃん〃はN市では有名であった。が、それもその筈《はず》であった。彼女が愛知、静岡の女子の幾つかの競技の記録保持者であることを鮎太が知ったのは、その女学校からの帰り途《みち》だった。

「わたし、肋骨《ろっこつ》さえ折らなかったら何かで日本で一番になったわよ、きっと！」と雪枝は言った。しかし、それはたいして口惜しそうな口調ではなかった。生れつきの明るい顔付きが、彼女の心を匿《かく》していたのかも知れなかった。

冬の休暇は十二月の二十二日からであった。鮎太の成績は二番だった。鮎太はどうしても自分が二番だと言うことが腑《ふ》に落ちなかった。自分より優秀な生徒がいると思うと、我慢できなかった。主要科目は全部百点に近い成績だったが、体操や武道が落第点に近かった。

「二番ならいいじゃあないの」

雪枝は言ったが、

「いいもんか」

と、鮎太は珍しく荒っぽい言葉を使った。ひどく不機嫌だった。

「蜜柑《みかん》お食べ」

「爪《つめ》が黄色くなるから嫌だ」

すると、雪枝は成績表を取り上げていたが、

「体操と武道が、これではねえ」

と言った。そして、

「意気地なしのくせに、変に敗《ま》けず嫌いのところがあるわ。口惜しかったら躰《からだ》を鍛えなさいよ、躰を――。やっぱり男は強くなければ駄目よ。何よ。現在《いま》も風邪をひいているじゃあないい」

雪枝は鮎太の手首を摑んでみて、

「そのくせ、腕なんてそう痩《や》せっぽちでもないのに――、変ねえ、気が弱いのかしら。もう風呂《ふろ》汲みも本堂の雑巾《ぞうきん》掛けも堪忍《かんにん》して上げるから、これから何か運動やりなさい。一体何ができるの?」

鮎太は何も出来なかった。まだましなのは鉄棒だった。一年生の時から、他にする

ことがないので、鮎太は休憩時間に他の生徒が競技をしている時、いつも一人で鉄棒にぶら下がっていた。尻上《しりあ》がりと足掛けが出来た。

「鉄棒!? あれには、勝ち敗けないじゃあない」

ちょっと軽蔑《けいべつ》したような眼付きをしたが、

「まあ、いいから、それでもやんなさい。単語なんて暗記されているより、少しは助かるわ」

と雪枝は言った。

鮎太は冬の休暇に入ると間もなく郷里の伊豆へ三年振りで帰省した。山葵《わさび》問屋をやっている親戚《しんせき》の家に泊った。小学校の友達たちは、妙にはにかんで、中学の帽子をかむっている鮎太の傍には近寄って来なかった。往来で会っても、彼を遠巻きにしていた。

鮎太は、幼い数年間をおりょう婆《ばあ》さんと過した土蔵を見に、田圃《たんぼ》の畔道《あぜみち》を歩いて行った。

土蔵の壁の崩れも、窓の鉄の棒も、石の段々も、そして又土蔵の横手の小川も、柿《かき》の木も、栗《くり》の木も、山桃の木も懐《なつか》しかった。水車小屋も、水車から滴《したた》り落ちている水の滴《しずく》も、いつもぬれている洗い場の板も、みんなそれぞれの思い出を持っていた。

鮎太は、亡《な》くなった冴子と初めて会った日、ハーモニカを吹いて田圃を歩いている彼女の姿を見るために柿の木に登ったことを思い出し、その柿の木に攀《よ》じ登ってみた。冬枯れた何枚かの田圃が拡《ひろ》がり、犬が一匹こちらを向いて立っているほか誰もいなかった。

田圃から視線を移すと、土蔵の鉄の棒のはまっている窓から、土蔵の内部が見えた。どこかに明り窓でも造られてあるのか、土蔵の内部は明るく、ミシンが一台置かれてあるのが見えた。

鮎太は土蔵が全く、自分が住んでいた時とは違った空気を詰めているのを見た。もうどう考えても、その窓からは、おりょう婆さんの顔も、冴子の顔も覗《のぞ》こうとは思われなかった。

二日目の晩、温泉旅館の番頭が、加島家の使いだと言って、鮎太を迎いに来た。加島家というのは、冴子と心中した大学生の加島の家のことであった。

狭い村のことなので、鮎太が帰省したことは、二日目にはもう、旅館に滞在している加島家の者の耳にもはいったものらしかった。親戚の家の話では、加島家では、一人息子の心中事件があってから、毎年のように、十二月になるとこの村へやって来て、村の寺で二人の供養《くよう》をするということだった。おりょう婆さんの血縁者も、去年までは半島突端の町からやって来たが、今年は見掛けなかったそうである。鮎太は言われるままに、旅館の番頭と一緒に出掛けて行った。新館の渓川《たにがわ》に面した部屋だった。加島家の者と言っても、母親と、前に鮎太が冴子の手紙を加島に届けに行った時一度だけ会ったことのある妹の浜子（それが彼女の名前であった）の二人であった。

浜子は三年で見違える程背丈が伸びていて、もうあの頃の少女の面影はなかった。鮎太には自分より年長の娘に見えた。細面の顔の中で、黒瞳《くろめ》の勝った眼が、不釣合なほど大きかった。

鮎太は夕食の御馳走《ごちそう》になった。家のことや学校の様子などを、品のいい口調で母親から訊《たず》ねられる度に、鮎太はそれに対して上手に答えるように努力した。そして非常に短い言葉でそれだけを答えた。

大学生の加島のことも、冴子のことも全然話題には出なかった。鮎太もそれに触れては不可《いけ》ないような気がして避けていた。

ただ一度だけ、話題が途切れた時、浜子は、

「結局、兄さんって——、可笑《おか》しいわ」

と言った。そして複雑な笑い方をした。母親が睨《にら》むと、浜子はちらっと舌の先端を

白い美しい歯の間に覗かせて、次の瞬間はつんとした表情を取った。それが鮎太には印象的だった。

話題が失《な》くなると、河瀬の音が食卓の上まで流れて来た。

鮎太は窮屈な時間を二時間程過して、そこを辞去した。母親と浜子は玄関まで送ってくれたが、玄関で、浜子は、

「冬は毎年、N市のあしたか山の麓《ふもと》に行きます」

と言った。これがその晩彼女が鮎太に言った言葉らしい唯一《ゆいいつ》の言葉だった。

「躰が弱いので、寒い時は暖いところにやります。N市って暖いのですね」

と母親も横から口を出した。

鮎太はただやたら二、三回頭を下げて、逃げるようにして旅館の玄関を出た。

鮎太はいつか大学生の加島と一緒に並んで歩いた川に沿った同じ道を、興奮して歩いて行った。将来もし自分にもまた妻と呼び得る女性があるとすれば、浜子を措《お》いてはないだろうと思った。しかし、浜子も、浜子の母親も、二人とも、冬の寒い間、N市のあしたか山の麓で過すと言っておきながら、その家の所在も教えず、遊びに来いとも言わなかったことを思うと、鮎太は暗い気持になった。

鮎太は坂の上まで上って行き、往来へ出ると、そこから又引き返した。これから直

ぐ山葵臭い親戚の家へ行って、そこで愚劣な話をして時間をけすのは勿体《もったい》ないと思ったからである。

鮎太は再びじぐざぐに折れ曲っている坂道を引き返した。坂道には夜霧がかかっていて、一間先きが見えなかった。鮎太はゆっくりと旅館の前の吊橋《つりばし》の所まで戻って行き、吊橋の上から旅館の燈が霧の中にぼうっと霞《かす》んでいるのを暫《しば》らく眺めて、それから又坂道を上って行った。

鮎太はその翌日郷里の親戚の家を辞して、N市の渓林寺に帰った。

鮎太は暮の二十八日に、雪枝と交替で餅《もち》を搗《つ》いた。雪枝の母親と老人の庭男が手合わせをした。

雪枝と交替で餅を搗いたといっても、鮎太はひとうす搗いただけであった。それも命がけだった。終《しま》いには息切れがして油汗が額から流れた。非力でもあったが、風邪気味でもあった。鮎太は雪枝に替って貰《もら》おうと思ったが、雪枝はなかなか替ってくれなかった。

「まだよ、まだまだ！」

そんなことを言って、雪枝はなかなか鮎太から杵《きね》を受けとらなかった。

鮎太は終いに杵を臼《うす》のふちに振り降ろすと同時に土間に倒れた。それから鮎太は庫《く》裡《り》の上がり口に横たわって、又いつかのように雪枝に頭を濡れ手拭《てぬぐ》いで冷やして貰った。

「まあ、何て、だらしがないのかしら、これでも男だから嫌になっちゃう」

そんなことを言いながらも、雪枝は度々臼のところから離れて来ては、鮎太の顔を覗き込んだ。

三学期が始まると、鮎太は学校の勉強と鉄棒にぶら下がることに熱中した。鉄棒の方は、寺から二町ほど離れている小学校の運動場に行って、そこで練習した。この方は余り乗り気でなかったが、学校から帰ると待ち構えているようにしている雪枝に引張り出された。

雪枝も、鮎太と一緒に鉄棒にぶら下がった。十日程した時、雪枝はN商業で一番機械体操がうまいという鮎太と同年配の佃《つくだ》という少年を連れて来て、鮎太に教えさせた。その少年は毎日のようにやって来た。練習は暗くなるまで続けられた。鮎太は手に豆ができて、鉛筆を握るのが辛《つら》かった。

「何よ。豆の一つや二つ」

雪枝は、夜、勉強している鮎太のところへ来て、豆に針で穴を開けて、そこへヨジウムチンキを注ぎ込んだ。掌《てのひら》は飛び上がるほど痛かったが、鮎太はこんな寺へ下宿したのが因果だと思って諦《あきら》めた。

三学期の試験で、鮎太は三番になった。二番だったのが三番になって、一番下がったわけだが、これは東京の府立四中から袴田《はかまだ》という生徒が転校して来たためであった。

鮎太は、この生徒にだけは及ばないと思った。何をやっても、先生がたじたじだった。そして、世界の小説家の名も、詩人の名もふんだんに知っていた。

彼が国語の自習時間に『芥川龍之介《あくたがわりゅうのすけ》の作品について』という発表をやった時、鮎太は自分が、何か自分などの知らない大切なことで、彼の足許《あしもと》へも及ばないと思った。

鮎太が三学期の通知簿を貰った時、雪枝は、

「あら、また下がったわね。学問が一番取柄だと言うのに、それが下がってしまっては駄目じゃあないの。まだしも鉄棒の方が向いているかしら」

と言った。

鮎太も、実際そんな気がした。鮎太は三カ月ばかりの間に、躰を水平にして鉄棒の周囲を廻転《かいてん》する大車輪ができるようになっていた。もしかすると、俺は勉強より鉄棒の方が才能があるかなと思った。

鮎太は四年に進級した。そして四月に学校の運動会があったので、鮎太はその出場

種目の中で機械体操を選んだ。

運動会の前日、雪枝は、小学校の庭で、鉄棒の横の砂場に腰を降ろして、大車輪をやっている鮎太を眺めていた。

「まだよ、まだ、まだ！」

何回廻っても、苛酷《かこく》なコーチャーは、もうよしとは言わなかった。

鮎太は眩暈《めまい》を感じて、鉄棒から手を離して砂場へ飛び降りた。

「だめよ、自分勝手なことをしては」

雪枝は怖い顔をしてみせて、

「明日の運動会では死ぬまで廻るの。この前リーダーを一冊暗記できたのだから、それがよもや出来ないことはないでしょう。佃さんは十何回廻ったわ。あんたはそれより何回か多く廻るの。そうすれば、このN市で、あんたは大車輪が一番よ」

と言った。十何回と聞くと、鮎太は気が遠くなった。彼は六、七回がせいいっぱいだった。

その翌日、運動会で、機械体操の競技が始まる直前に、雪枝は派手な恰好《かっこう》で運動場をつっ切って、鮎太のところへ来ると、

「廻るのよ、死ぬ気で廻るのよ」

と、それだけ言って、又帰って行った。

出場生徒の中で、大車輪が出来るのは鮎太だけだった。鮎太は一人で大車輪をやった。観衆の中から拍手が起るのを、鮎太は異様な気持で聞いていた。こうした経験は生れて始めてであった。

鮎太は七回、八回と廻って行った。運動場に張り廻《めぐ》らされた赤や白の旗も、運動場を埋める観衆も、白い石灰の線が何本も引かれてあるフィールドも、トラックも、鮎太の頭の上になったり、下になったりした。

鮎太は何回廻ったか、自分で判《わか》らなくなった。躰《からだ》から力というものが脱《ぬ》けてしまって、鉄の棒を握っている手が嫌に頼りなかった。

もっと、もっと、まだよ、まだよ！

雪枝のそんな声だけが鮎太の耳には聞えていた。もう何も見えなかった。

鮎太は天と地が変梃《へんてこ》な方向で見えたと思った。と、次の瞬間、地面が急速に自分を目がけて突進してくるのを彼は感じた。

鮎太は砂場に顔を埋めて気を失った。

あとで雪枝の話によると、鮎太は十三回で鉄棒から撥《は》ね飛んだと言うことであった。

雪枝は、その晩も又鮎太の額を手拭いで冷やしていた。

「駄目ねえ、器用なんだけど、腕に力がないのね」

と言った。そして、

「ボートをやってみる？　もしかしたら水泳の方がいいかも知れないわね」

その言葉に鮎太は恐れをなした。

鮎太は運動会の事件があってから鉄棒というものには触れなかった。雪枝もまた鉄棒熱はさめてしまったのか、あるいは鮎太に鉄棒の天分がないということを覚《さと》ったのか、再び彼に鉄棒の練習は強いなかった。

運動会があってから一カ月程した五月の中頃、鮎太には全く思いがけないことが起った。それは夏が初めて訪れた感じの、潮の匂《にお》いの強い宵であった。鮎太はその夜、ノートを買うために、寺を出て、N市の目貫《めぬ》き通りの方へ、散歩しながらぶらぶらと歩いて行った。

「梶君、ちょっと頼まれてくれ」

呼びとめられて、振り返ってみると、同級生の山浦が立っていた。余り成績のよくない、品行もとかくの噂《うわさ》のある、痩せっぽちな小柄な生徒であった。

「何なの」

「大したことではないんだ。今年卒業した連中が、千本浜の料理屋で同窓会をやっているんだ。そこへ行って、二、三人の連中を呼び出してくれればいい。俺たちをよく殴った連中なんだ。そうそう、君も一回殴られたことがあったな」

と山浦は言った。

「呼び出してどうするの」

「あとは、俺に任せておきな」

鮎太は別にその晩用事もなかったので、山浦に言われるままに、彼と二人で千本浜へと出掛けて行った。

松林の中の料理屋の前まで行くと、山浦は、呼び出して来る先輩の名を言った。

「ただ呼んでくればいいの？」

「女の人が待っていますと言えばいい」

「本当に待っているの？」

「莫迦《ばか》だな、君は！　とにかく、そう言えばいいんだ」

鮎太は言われるままに、曾《かつ》ての上級生の一人を呼び出した。

酒で赤い顔をして出て来たのは、鮎太も見覚えのある、曾ての自分への加害者の一人であった。

その青年が料亭の前を二、三間離れると同時に、横合から、山浦が飛鳥のように飛びかかった。あっと言う間の出来事だった。山浦は躰は小さかったが、驚くほど敏捷《びんしょう》だった。たちまち相手を倒すと、上にのしかかって、やたらに殴りつけた。手には石か何かを持っているらしかった。

相手の男は大きい悲鳴を上げ続けていた。

「もう一人呼んで来い」

山浦は相手を殴りながら、傍で茫然《ぼうぜん》としている鮎太に言った。

しかし鮎太は、その命令に服する必要はなかった。

二人の男が旅館の玄関から飛び出して来た。

それを見ると、山浦は新しい男の一人にまた飛びかかって行った。

相手方の一人は咄嗟《とっさ》に襲撃者があることを知って、そのまま鮎太に飛びかかって来た。鮎太は砂の上に突き飛ばされ、上からのしかかられた。

鮎太は夢中だった。この前のように眼鼻の判らぬ程、痛めつけられては大変だったからである。

「おい逃げるんだ。多勢やって来るぞ」

鮎太は肩を強く敲《たた》かれて振り向くと、山浦が立っていた。松の根方に二人の男が倒れていた。その時気がついたのだが、鮎太は相手の上に馬乗りになって、相手の首を捻《ね》じ曲げて砂の中に押しつけていた。

鮎太は相手の躰から飛びのくと、山浦の背後に続いて走った。浜を抜けて町の入口へ来た時、

「右へ行け、俺は左へ行く」

それが山浦の挨拶《あいさつ》だった。

鮎太は無我夢中で走りづめに走った。どこを走ったのか判らなかったが、とにかく、一時間程して、彼は渓林寺へ辿《たど》り着いた。

井戸端へ廻《まわ》って顔と手を洗った。血だらけだった。

その翌日、鮎太は雪枝には学校の裏の崖《がけ》から落ちたと言って、学校を休んだ。午後、学校の小使いが呼びに来た。教員室へ入って行くと、山浦が不敵な顔をにやにやさせて立っていた。

「僕は、あいつらに三年の間、毎週一回ずつ殴られたんです。一回ぐらい殴ったっていいでしょう」

山浦は自分が悪いとは絶対に言わなかった。鮎太は、この時の山浦の顔を男性的だと思った。身長は自分より小さいくらいなのに、どこにあの豪胆さと、敏捷さと、不《ふ》逞《てい》さが匿《かく》されているのかと思った。

「梶は、僕が頼んで呼び出し役をやって貰ったんです。それなのに相手がかかって行ったので、梶もやったんです。梶の場合は正当防衛です」

山浦はそんなことを言った。その日はそれだけで二人は学校から帰された。二人は帰り道、何も喋《しゃべ》らなかったが、岐《わか》れ道まで来ると、山浦は鮎太の肩を軽く敲いて、

「君は喧嘩《けんか》行けるぜ。変にすばしこいとこがある。大人しい顔をして相当なもんだな」

それから片目をつむって見せてあばよと言うと、さっさと向うへ行ってしまった。そんな不良ぶりもまた、鮎太には美しく見えた。

鮎太は寺へ帰ると、雪枝が彼の部屋で待っていた。

「気が弱くて、意気地なしのくせに、突拍子もなく大それたことを仕出かすのね。一体誰の血よ、お父さん？　お母さん？」

雪枝は言って、

「裸になってごらん、傷だらけでしょう」

と言った。

鮎太は半身だけ裸になってみせた。なるほど腕も胸も傷だらけだった。一週間目に、鮎太は登校を許された。山浦の方は放校処分を受けた。被害者が前歯を全部折ってい

たからである。

一週間の停学処分の間、鮎太は幾つかの歌を作った。啄木《たくぼく》の歌をまねて作った歌だった。この正月、加島浜子がいるかも知れぬあしたか山を毎晩のように寺の庭から眺めたが、その時の甘酸《あまず》っぱい変梃な感情を、むりやりに歌にしたものであった。

七月の二十日に、四年の一学期の成績が発表になった。鮎太はいっきに三十番に落ちていた。

「秀才もねえ！」

と雪枝は溜息《ためいき》をついてみせた。

「学問もだめ、鉄棒もだめ、歌もだめ」

と言った。

「歌って？」

「見たわ」

「見た!?」

恥で顔を真赧《まっか》にして、鮎太は雪枝に飛びかかって行った。雪枝を倒し、無茶苦茶にその豊満な肉体を畳の上に押しつけた。歌は机の奥に入れて、鍵《かぎ》をかけておいたので見られる筈《はず》はないと思った。不思議だった。

「くすぐったいわよ。莫迦ねえ」

雪枝は鮎太の躰をのけて起き上がると、前を合わせ、髪を直し、

「大切な躰よ、よして！」

と言った。鮎太は夢中でやった自分の動作でまた真赧になった。雪枝が大切な躰と言ったのは、鮎太は詳しくは知らなかったが、雪枝に最近結婚の話が持ち上がっていたので、そのことを言ったものらしかった。

「学問もだめ、鉄棒もだめ、歌もだめ、ひょっとしたら不良の素質だけがあるかも知れないわよ、あんた」

雪枝のその言葉は冗談だったが、全部が全部冗談でもなさそうだった。

「喧嘩の素質だけがあるらしいなんて、困った子！」

きっと、いつになくコケティッシュに睨《にら》んでから、

「なるなら一流になったらいいわ。生半可《なまはんか》な秀才より余程気が利《き》いている」

雪枝はそう言うと、寮歌を口誦《くちず》さみながら廊下に出て行った。

鮎太はその夜、ノートに翌檜《あすなろう》という言葉をいっぱい書きつけた。いつか冴子が、明日は檜《ひのき》になろうなろうと思っていて、ついに檜になり得ない翌檜の話をしてくれたことを思い出したからである。

学業でも、鉄棒でも、勿論《もちろん》歌でも自分は所詮《しょせん》翌檜でしかないような気がした。

夏休暇が来たが、鮎太は台北の両親のもとへは帰らなかった。高等学校の受験準備の講習を受けるというのを口実にして、学校へ行かぬ一カ月を渓林寺で暮した。

自分でも不思議なほど学業への興味は薄れていた。それでも午前中だけ二、三時間机に対かい、午後は寺の裏から田圃《たんぼ》をつっ切って、十五分程で浜へ出た。そこは海水浴場の西の端《はず》れに当っていて、人は疎《まば》らだった。多勢の人間が海と浜とをぎっしり埋めている海水浴場ははるか右手に見えていた。

鮎太は海へ行く時は、なるべく雪枝に気づかれぬようにして寺を出た。でないと、雪枝も一緒に行きたがるからであった。雪枝と行くと、彼女はいつも人の多い海水浴場の真中に行かなければ承知しなかった。彼女はその人混みの中で、はち切れそうな豊満な躰を、どこで買って来たのか、思い切って派手な赤と黄の水着に包み、飛込台の上に立ったり、知らない男たちのボートに手をかけて、勝手にそれに乗り込んで、鮎太を大声で招いたりした。その雪枝の着ている水着は、住職も母親も知らなかった。

彼女は家を出る時はそれを風呂敷《ふろしき》に包んで、いつも鮎太に持たせた。

鮎太は、常に人の眼の的となっていることの好きな雪枝と行動を共にすることは苦手だった。気恥かしかった。

ある日、鮎太は雪枝といっしょに泳ぎに行った。雪枝はボートに乗ろうと言ったが、鮎太はそれを断わった。雪枝がきゃあきゃあ言いながら、派手なモーションでオールを動かし、何千人かの視線を集めるその傍に小姓のように奉仕する役はごめんだった。

「いやに近頃、坊や気難しいのね。わたし一人で乗るからいいわ」

雪枝はそう言って、本当に一人で貸ボートを操って、多勢の人の泳いでいる真ん中を横断して行った。波が高かったので、雪枝のボートは波間に危っかしく位置を移動していた。雪枝の赤と黄の水着が青い波と映って、鮎太の眼には美しく見えた。あるいはこの海水浴場で彼女が一番美しいのではないかと思った。鮎太は背後《うしろ》に倒れて鷗《かもめ》の飛んでいる蒼《あお》い空に見入った。

「君、雪ちゃんの家にいるんだね」

そう言う声で起き上がると、二十二、三の学生らしい浴衣《ゆかた》の男が立っていた。

「そうです」

「これ、あの人に渡してくれないか」

横柄《おうへい》な言葉で差し出されたのは角封筒へ入っている手紙だった。そう言ったまま、その男はすぐ背を向けて去って行った。裏を見ると佐伯《さえき》とペン字で認《したた》められてあった。

鮎太は佐伯とはあの青年かと思った。Ｎ市の商業を中途で退校になり、現在は東京の私大に入っていて、東京でも名うての不良で通っているという噂の青年だった。鮎太はその噂を、中学校の級友たちが学校で語るのを何回となく聞いていた。佐伯は一種の英雄として、腕力沙汰《ざた》の好きな中学生たちにはある種の魅力を持っているようであった。

そんな有名な不良とは見えぬ顔の生白い、しかし体格はがっちりした青年であった。

雪枝がボートから降りた時、鮎太はそれを雪枝に手渡した。

「いやなもの貰《もら》うわね。わたし、あいつ、大嫌い」

雪枝は言った。

「なら、破けばいい」

鮎太が言ったが、雪枝はそれを破らなかった。そして砂の上に寝転んだまま開封すると、

「明後日《あさって》の夜七時にここへ来てくれだって」

と言った。

「何の用事なの」

「莫迦ねえ、これラブレターよ」

それからちょっと顔を曇らせたが、鮎太は何かその時の雪枝の表情が気にかかった。

その夜、鮎太は風呂に入っている時、雪枝と母親が台所で話している言葉が鮎太の耳にはいって来た。

「ほっときなさいよ」

母親の声だった。

「でも、うるさくはないかしら。嫌だわ、こんな時、興津《おきつ》の方へでも手紙出されたら」

雪枝の言った興津というのは、彼女が秋に嫁ぐことになっているらしい家の事だった。

「お前が莫迦なことをするからさ」

「だって昔の事を言ったって仕方ないでしょう」

いつになく雪枝の言葉は神妙であった。明らかに昼間の手紙に関することらしかった。

「わたし、男だったら殴っちゃうんだけど」

それに対して、母の返事はなかった。どういう事情か判《わか》らなかったが、雪枝はあの男に弱味を持っているらしかった。

「行ってみるかい」

「さあ、まだ考えが決まらないの」

二人の話はそれだけで後は聞えなかった。

翌々日、鮎太の眼には気のせいか、雪枝の顔は憂《うれ》わしげに見えた。鮎太は夕方暗くなってから寺を出ると、浜へ出掛けて行った。男なら殴ってやるのだがと言った雪枝の言葉が、鮎太を捨身にさせていた。

散歩客も引上げてしまった時刻で、浜には誰もいなかった。鮎太は濡《ぬ》れた浜の砂の上に腰を降ろしていた。いつか山浦が持っていたものをまねて、小石を手拭《てぬぐ》いの端に包んで、それを唯《ただ》一つの武器として持っていた。

鮎太は山浦の小さい躰《からだ》が栗鼠《りす》のように動いたことを思い出していた。そして、「君、喧嘩は行けるぜ！」と言った彼の言葉や、「喧嘩だけね、才能のあるらしいのは」と言った雪枝の言葉も思い出していた。そしてまた、自分が全く知らないうちに、腕力自慢の卒業生を組敷いて、首をねじ曲げて砂の上につっ込んでいたあの時の、身内に充実していた力を思い出していた。

鮎太が砂に腰を降ろして五分程すると、佐伯という学生がやって来た。彼はゆっくり近寄って来て、鮎太の顔を覗《のぞ》き込むようにすると、

「君か」

と言った。鮎太は一言も喋らず、いきなり相手の躰に飛びかかって行った。最初の手拭いに結んだ石が相手の顔に当った。あとはやたらに振り廻したが、いつか手許《てもと》からどこかに飛んでしまった。

それと一緒に、鮎太は砂の上に敲きつけられた。起き上がって行った。また敲きつけられた。また起き上がった。起き上がる度に、鮎太は手に石を持っていた。何回砂を嘗《な》めさせられたか判らない。それでも、その度に、彼は石を握って立ち上がって行った。

もっと、もっと、まだ、まだ！

雪枝の声が、時々しんとした頭の中で、波の音に混じって聞えていた。

鮎太はなかば意識を失っている頭の中で、相手が逃げようとしているのを感じていた。殴られながらも、押えつけられながらも、鮎太はそんなものを相手に感じていた。

乱闘は際限なく続いたようだった。

もっと、もっと、まだ、まだ！

雪枝の声が絶えず耳許で聞えていたが、鮎太は起き上がれなかった。しかし、気絶はしていなかった。波の音も聞えたし、高い空に幾つかの星も見えた。

こちらが倒れたのに、相手がかかって来ないところを見ると、相手は鮎太の執拗《しつよう》さを不気味にでも思って逃げてしまったのかも知れなかった。いずれにせよ、相手が鮎太から逃げ出したことは事実であった。

鮎太は睡《ねむ》ったように思った。はっとして眼を覚ましてみると、雪枝の白い顔が直《す》ぐ自分の顔の上にあった。本当の雪枝の顔であった。

「気の弱いくせに、何てことをするの。全く気違い沙汰よ、あんた」

言葉は咎《とが》め立ての口調を持っていたが、

「ああ、苦労するわ。これだから、心配になって、わたし、お嫁に行けないじゃあない」

その雪枝の声は限りなく優しく、鮎太の心に滲《し》み込んで来た。

鮎太は倒れていながら、心が充《み》ち足りているのを感じていた。今までに味わったことのない充実感だった。

「起きれる？」

「大丈夫さ。でも、暫《しばら》くこうしていたいな」

鮎太は言った。

「頭は大丈夫でしょうね。英語のリーダーの暗誦《あんしょう》、復習してごらん」

しかし、鮎太にはそれはできなかった。最初の一行が思い出せなかった。
「歌なら唄《うた》える、寮歌なら」
鮎太がそう言うと、雪枝は鮎太の耳に顔をつけて、いつも彼女が唄う寮歌の節でまるで口の中で唄うような低い声で、ゆっくりと、
「寒月ガカカレバ
君ヲシヌブカナ」
と唄い出した。それは鮎太が作って、こっそりと机のひき出しの中に入れて鍵をかけておいたものであった。
「寒月ガカカレバ
君ヲシヌブカナ
アシタカヤマノ
フモトニ住マウ」
鮎太は、やはり雪枝はあれを読んでいるなと思った。しかし、読まれたと思っても、鮎太はこの前ほど羞《はずか》しくはなかった。
冬だけ、その麓《ふもと》に浜子が住んでいるというあしたか山の上に出た寒月が、その歌を作った時の実感で、不意に鮎太の眼に大きく浮かんで来た。

漲《みなぎ》ろう水の面より

北国の城下町の高等学校を卒業した梶鮎太は、仲間がそれぞれ東京や京都の大学へ進んだのに、一人だけ九州の大学を選んだ。鮎太が九州の大学を選んだのは、その頃官立の大学の中で、九州の大学の法文学部だけが、無試験で入学できたので、入学試験のない最も安易な道を採ったと言えば、それに違いなかったが、それとは別に、もう一つの理由があった。

それは高校生の鮎太の仲間がよく取巻いていた佐分利《さぶり》信子の郷里が九州の博多であったからである。

鮎太たちは何回か、郷里の博多へ里帰りする佐分利信子を女王を送る家来たちのような恰好《かっこう》で、北国の城下町の暗い感じの駅へ送って行ったものである。

佐分利信子は、その城下町では、一、二の旧家として知られている佐分利家の若い未亡人だった。学生たちの間には彼女の行状は、女王蜂か何かのように美しく派手に見えたが、町の人々には多少の顰蹙《ひんしゅく》されるべき性質のもののようであった。

　彼女は博多のやはり旧家として通っている真門家の末っ子に生れ、土地の女学校を出ると直《す》ぐこの北国の名家の長男のところへ縁づいて来たのであるが、結婚生活五年で、夫にパリで客死され、それ以来、佐分利家を去らないでとかくの噂《うわさ》を持ったまま、依然として同家の若夫人としての生活を続けていた。

　当時鮎太の耳に入った噂では、信子の父親が炭鉱事業に手を出して失敗して以来、実家の真門家は相当窮迫した実情にあり、怜悧《れいり》な信子は実家に戻されることを嫌って、佐分利家に居坐《いすわ》ってしまう腹らしいというのであった。

　鮎太はそうかも知れないと思った。信子にはそう見られてもいいような、何事につけても貧しさを極端に嫌う派手な一面があった。しかしまた、鮎太の仲間の木原などは、別の見方をしていた。二十歳、十八歳という年頃の未婚の二人の義妹を持っているので、信子としては、彼女等の身の振り方を決めてしまうまでは、婚家を去りたくても去られない立場にあるというのであった。実際に七十近い姑《しゅうとめ》と二人の年頃の義妹を持ち、大きい家の采配《さいはい》を揮《ふる》っている信子にしたら、佐分利家から籍を抜きたくても、抜けない実情に置かれてあったかも知れない。

いずれにしても、その佐分利信子の郷里が博多であって、彼女が博多の土地を踏む機会が多いというだけの理由で、梶鮎太は、友達と別れて自分一人九州の大学へと進んだのであった。言うまでもなく、梶鮎太は高校生活三年の中で、彼が為《な》した最も大きい仕事として、自分より三つほど年長の佐分利信子を好きになっていたのである。

鮎太が新しい角帽をかむって、連絡船で九州に渡り、福岡の唐人町の、裏が直ぐ海になっている小さい煙草《たばこ》屋の二階に下宿したのは、西公園の桜がいまやこぼれるばかりに満開の時であった。

聴かなければならぬ講義は、全部五月からであった。それまでの一カ月を、鮎太は旅行して過すことに決心した。授業料やら書籍代やら、相当まとまった金が父親から送られてあったので、それらを旅行費用に当てれば、学生としては贅沢《ぜいたく》な旅行ができた。授業料は秋まで滞納しておけばよかったし、書物は当分一冊も買わなくても、多少の不便を忍べば、聴講に差しつかえることはなかった。

鮎太は、北原白秋の生地である柳河《やながわ》で二、三泊し、あとは久大《きゅうだい》線に沿った山間の盆地にある日田《ひた》に行き、そこで二十日間近くを過した。宿の裏手を美しい三隈《みつくま》川の流れがどんよりと流れ、対岸は春霞《はるがすみ》で霞んで人家が小さく遠く見えた。窓下の流れは動きが全くなかったが、眼を遠く下手にやると、早い川瀬が春の陽にきらめいて美しく見えた。鮎太は書物一冊読まなかった。宿の二十歳ぐらいの跛《びっこ》の長男と仲よくなって、毎日二人で魚釣りをして過した。毎朝のように二人は暗いうちに釣竿《つりざお》を持って宿を出、暗くなってから、くたくたに疲れた躰《からだ》をひきずって、宿へ帰って来た。

日に二回か三回、鮎太は釣糸を垂れながら佐分利信子のことを思い出した。青い乗馬服を着て、城下町の公園の坂を降りて来る信子の姿や、鮎太たちのために彼女が送別会を開いてくれた時、白い細い指を踊らせてピアノのキーを敲《たた》いた信子の、背を真直ぐに伸ばした姿は鮎太の心を一瞬熱く燃やし、急に足を浸している流れの水温を凍ったものにした。

日田から福岡の一物もない下宿の部屋へ帰って来ると、部屋の柳行李《やなぎごうり》の上に、一通の封書が置かれてあった。東京の大学へ進んだ大沢、木原、金子の三人からの寄せ書きであった。

「佐分利夫人、英子さん、貞子さんの花々しき一家は金沢から東京へ移って来た。まるで俺たちを追いかけてやって来たようなものだ。まことに君にはすまない話だが、われわれは、また、毎週一回ずつ佐分利家のサロンに集ることになるだろう」

これは法科へ進んだ大沢。——鮎太は仲間の中で、この大沢が一番苦手であった。何も勉強をしないくせに、成績は常に組で三、四番を上下していた。頭もよかったが、それ以上に要領がよかった。唇の薄い、睫《まつげ》の長い顔は、鮎太には軽薄に見えたが、鮎太の知っている女たち（と言っても下宿の小母《おば》さんや寮の小母さんたちしかないが）の眼には、彼は美貌《びぼう》な青年として映っていた。佐分利夫人がいつか大沢に外国製のシガレット・ケースを与えたことがあったが、それ以来鮎太はこの大沢に軽い憎しみを抱いていた。

「佐分利さん一家が東京に出て来て、駒込《こまごめ》の本郷中学の裏手に居を構えました。英子さん貞子さんの二令嬢が東京の学校へ上がるためだと言うことです。今日初めて、われわれ三人は東京の佐分利邸を訪れました。美しい人たちはどこにいても美しいと思いました。もう大学生になったからと言って、夫人は上等のウイスキーを出してくれました。今までのように紅茶ではありません」

これは剣道二段、農科へ進んだ金子。――手紙を書くとなると、いつも柄になく子供っぽい文章しか書けない男である。二十貫近い金子が、佐分利家の庭に水撒《みずま》きをして半裸体になった時、

「立派な躰ねえ。ギリシャの彫刻みたい」

そう信子が言ったのを、鮎太は胸に錐《きり》でも刺されるような痛みで聞いたことがある。

それ以来鮎太は金子にも余りいい感情は持っていなかった。夏など何かというと、佐

分利家で裸体になりたがる金子を、何と嫌な奴《やつ》だろうと思っていた。

「佐分利夫人は君に会いたがっていた。なぜ一人だけ九州などへ逐電したのだろうと言っていた。英子さん、貞子さんは相変らず。——それにしても、夏休暇には早いめに東京に出て来ないか。みんな待っている」

これは仲間の中で一番分別をわきまえている工科の木原。——この親友にも、鮎太は好感ばかり持っているわけではない。信子の義妹たちに取り入って、その家庭教師のような役を買って出て以来、鮎太は木原をも隅に置けない奴だと思っている。それに信子が木原を一番信用していて、何かと相談役に彼を選ぶことも、鮎太には心外だった。

鮎太は三人の友達からの手紙を読み終った時、よし、今から直ぐ東京へ出掛けて行くぞと思った。まだ見たこともない東京の佐分利邸を想像し、そこでウイスキーを御《ご》馳走《ちそう》になっている三人の仲間の姿を眼に浮かべると、もうじっとしてはいられなかった。夏休暇などとても待っていられなかった。そもそも信子が東京へ居を構えると知っていれば、わざわざ九州の大学など選ぶ筈《はず》はなかったのである。

佐分利夫人は君に会いたがっている。——この木原の下手糞《へたくそ》なペン字の一行が、その晩、梶鮎太をまんじりともさせなかった。実際にそんな言葉が佐分利信子の口から飛び出したかどうか怪しいものだったが、鮎太にはその一行だけが天来の声のように強く作用していた。

梶鮎太が東京行の切符を手に入れたのは、その翌日のことである。一カ月の旅行で金は大部分費《つか》い果してあったので、汽車の切符を買うと何程も手許《てもと》に残らなかったが、東京へ行き着きさえしたら、後は木原からでも金子からでも借りればいいと思った。

「まあ、どうしたの。そんなに真黒い顔をして」

これが北国の城下町以来二カ月振りで耳にした佐分利信子の言葉であった。本当に梶鮎太は真黒い顔をしていた。

「魚釣りをしたんです。殆《ほとん》ど一カ月毎日のように」

鮎太はそう答えながら、自分を魚釣りに引張り出した日田の旅館の跛《びっこ》の長男を恨めしく思った。

「学校は？」

「学校へはまだ行きません」

「魚釣りばかりしていたの？」

「はあ」

「だから、九州へなど一人で置いては駄目ね。木原さんも、金子さんも、大沢さんも、人が変ったように勉強していらっしゃるわ」

「奴等、度々やって来ますか」

「この間、一度いらしっただけよ。土曜に来ると言っていらしったから、今夜来るでしょう。いま、どこにお泊り？」

「まだ決まっていません」

信子は鮎太の返事を聞くと、ちょっと意外そうな顔をしたが、

「いつ出ていらしったの？」

「いまです」

「いまって？」

「いま東京駅へ着いて、やって来たんです」

「直ぐここへいらしったの」

「はあ」

鮎太は長時間の汽車の疲れか、見栄《みえ》も外聞もなく、信子に対して無抵抗になっていた。何を訊《き》かれても、素直にありのままに言葉が口から飛び出した。

「道理で変な時刻にいらしったと思ったわ」

その言葉で腕時計を見ると、九時を少し廻《まわ》ったばかりで、余り広くない中庭の植込みに、五月初めの朝の陽が爽《さわ》やかに澄んだ空気の中で光っていた。

鮎太は朝食を御馳走になると、言われるままに離れの四畳半に床を敷いて貰《もら》って寝た。昨夜満員列車の中で一睡もしていなかったので、絹蒲団《きぬぶとん》にくるまると直ぐ睡《ねむ》りに落ちた。

眼覚めると夜になっていた。応接間の方から電燈《でんとう》の光が洩《も》れて話し声が聞えていた。

鮎太は寝足りた頭の中で、暫《しばら》くの間それを聞いていた。

「よく寝やがるな。呆《あき》れた奴だ。奴《やっこ》さん、不眠不休で急行したんですよ。だから九州なんぞへ行くなと言ったんですが——。あいつ、淋《さび》しくなったんですよ、きっと」

そう言っているのは紛れもなく木原の声である。

「もう起してあげなさいよ、英ちゃん。眼に胼胝《たこ》が当りますって」

これは信子の声である。

「でも梶さん、何の用事でいらしったのかしら」

声楽家志望だけあって美しい声を持っている英子が言っている。

「さあ、何か参考書でも漁《あさ》りに来たのではないですか」

木原が返事している。

やがて、玄関の開く音がして暫くすると、応接間は急に賑《にぎ》やかになった。大沢と金子の声が混じって聞えて来た。

「鮎太が来たって？」とか、「鮎太らしいな」とか「莫迦《ばか》な奴だ」とか、そんな無遠慮な太い声が美しい声に混じってやかましく耳に入って来た。二カ月ぶりで聞く友達の声が、鮎太には今まで感じたことのない懐《なつか》しさで暖く胸に滲《し》みて来た。

しかし、鮎太は眼覚めたまま、長い間床から出ることが出来なかった。寝足りた頭で考えてみると、どう考えようと、自分の採った行動も、今朝この家で為した信子との応対も、正常なものとは思われなかった。

「梶さん、梶さん」

姉娘の英子の声で、鮎太は床を離れた。洗面して、茶の間で女中の給仕で大急ぎで夕食を御馳走になると、鮎太は多勢のいる応接間へ入って行った。鮎太は照れ臭さから不機嫌にむっつりしていた。信子の顔を正視出来なかった。誰に何を話しかけられても、彼は短い返事しかしなかった。

「機嫌が悪いな」

勘のいい大沢の言葉で、信子がくすくすと笑った。

「こいつ昔から寝起きが悪いんだ」

金子が言うと、

「奥さん、坊やにミルク飲ませて上げて下さい、スプーンで」

また大沢が言った。こんどは信子は笑わなかったが、手製のプリンを運んで来た英子と貞子が笑った。

つい五分前の友達に対する懐しさが消えて、何か笑いものにされているような気持が鮎太の心に突き上げて来た。

「僕帰ります」

鮎太は化粧して朝よりずっと美しく見える信子の顔に初めて眼を当てて言った。

「帰るってどこへ？」

「九州です」

「朝着いて、夜帰るのか」

木原が横から真顔で言った。

「冗談じゃあないわ、梶さん、今夜はここへお泊りなさいよ」

信子の言葉は優しく鮎太の気持を揺すぶったが、

「昼中眠ったんだから、そうは鮎太でも眠れまい」

金子が言った。ひやかしの調子はなく真面目《まじめ》な口調だったが、その真面目さが却《かえ》って周囲の者を笑わせた。

「僕帰ります」

また鮎太は言った。すると、

「よし、帰るなら帰れ。九州へ帰る鮎太をみんなで送って行ってやろう」

大沢はふいに言って、来たばかりで半時間とは経《た》っていないのに、彼はあっさりと立ち上がった。

鮎太はその大沢の態度を意地悪く感じた。

信子に留められてそれから半時間程いて、一同は佐分利邸を辞去した。

「梶さんがいらしたので、きっとカフェーにでも行きたいのでしょう。とめないで上げますわ」

信子はそんなことを言いながら玄関まで送って来た。

四人は巣鴨《すがも》まで暗い道を歩いて、木原の主唱でおでん屋へ入った。酒を飲み出すと、鮎太の心は次第に静まって、勧められるままに木原の下宿に泊ることを承諾した。

「一週間ぐらいいられるか。金は一文も持っていないぞ」

「大丈夫だ。大船に乗ったつもりでいろ」

鮎太は木原と話していたが、大沢と金子は黙って酒ばかり飲んでいた。

と、突然、大沢が鮎太につっかかって来た。

「何だ！　東京へ出て来たと思って興奮しやあがって。先刻の態度は何だ！　俺たちは佐分利家とは何でもないいんだぞ。あそこは親戚《しんせき》でも、兄弟の家でもないいんだぞ。俺たちは三年越し、何一つ持って行かないで、いつも勝手なことを駄弁《だべ》って、ただ紅茶を御馳走になって来ただけの間柄だ。少しは礼儀というものを弁《わきま》えろ」

そこで、言葉を切って、

「英子さんに惚《ほ》れやがって！　笑わせるよ」

そう大沢は突き放すように言った。

英子と聞いて、鮎太はびっくりして顔を上げた。思いも寄らなかった。

「ばかを言え！　英子さんなどに惚れるか」

「匿《かく》しても駄目だ」

その大沢の言葉に続いて、金子が、

「まあ、いいさ、人間惚れる時は惚れる。俺たちは若いからな」

「おめえも惚れているのか」

大沢が言うと、

「俺は違う」

と、金子は肩を怒らせて、おでんの蒟蒻《こんにゃく》を大口に頬張ると、肩をそびやかすようにして昂然《こうぜん》として眼をつむった。その態度はどこかに肯定的なものを持っていた。

「惚れるとか、惚れないとか、俺は嫌だな。そんな言葉は」

木原が一座をたしなめるように言った。

「嫌だ！　嫌だ！　ああ嫌だ！」

「変に上品ぶるなよ」

今夜の大沢は、少し調子が外れていた。

「惚れないようなこと言うな。おめえは少女趣味だから、貞子さんが好きなんだろう。なあ、おい、家庭教師！」

その家庭教師という言葉は鮎太の耳にも嫌な感じで聞えた。明らかにそれと判《わか》る不快さを木原は顔に現わしたが、短気な彼にしては珍しく正面からつっかかっては行かず、

「好きかも知れん」

と、ただそれだけ反抗的に言った。そして、

「俺はあの無口で、清純なところに惹《ひ》かれているんだ。英子さんの方が顔立ちは美しいが、あのひとの方が心は美しいと思うな。リーダーの一行を読ませると判る。羞《はずか》し

そうに、静かにそれでいてはきはきと――」

それから、妻をめとらば才長《た》けてと、突拍子もない声で彼は歌い出した。生れつき木原は音痴だった。

「ちえっ、どいつもこいつも、白線を棄《す》てたらたががゆるみやがって！　硬派変じ軟派となるか！　俺は帰るよ」

今度は大沢が立ち上がった。

「帰る!?　帰るもよかろう。しかし金は置いて行けよ。英子さんが鮎太の顔を洗う水を汲《く》みに行ったのが癪《しやく》に障《さわ》ってるんだろう。まあ、諦《あきら》めるんだな、みんな！　いずれにしても高嶺《たかね》の花だ」

金子はそう言って、銚子《ちようし》を振った。彼は盃《さかずき》を口に運ぶか、おでんを食べるか、口を動かしづめに動かしていた。

大沢は本当に出て行った。大沢が出て行くと、間もなく、金子もぷいと席を立った。あとには木原と鮎太だけが残った。木原は、

「うるさい奴らがいなくなった。しんみりと飲もうや」

と言ったが、鮎太は気持がしらけて、一口も酒は飲みたくなかった。

僅《わず》か三カ月ばかりの間に、高等学校の仲間の気持はまるで、ばらばらになっていた。

佐分利家を挟んで意味もなく、みんな刺《と》げ刺《と》げしくなっている感じだった。

その晩、鮎太は酔っ払った木原を連れて、彼の本郷の下宿へ行った。

下宿の部屋へ入っても木原は、妻をめとらば才長けてと、何十回も同じ歌の最初の歌詞だけを繰返して唄《うた》い、下宿の主人に注意されて、漸《ようや》く床に就いた。そして床に就くと直《す》ぐ正体なく眠ってしまった。鮎太は眠っている木原の右の眼から涙が流れているのが、何か気になった。

鮎太は下宿で借りた蒲団の中で、いつまでも眼を開けていた。佐分利家で昼中眠ってしまったので、少しも睡くなかった。考えてみると、九州からわざわざ出て来たが、全く意味のないことになっていた。大沢に言われた通り佐分利家で自分が示した態度はなっていないようであった。突然訪ねて行って朝食を御馳走になり、昼中眠り、起きるとこんどは夕食を御馳走になり、その果に何の理由もなく不機嫌になって飛び出したのだから、これ以上我儘《わがまま》で莫迦《ばか》な行為はないわけであった。

それにしても、大沢と金子は英子に、木原は貞子に恋をしているらしいことが、奇異な気がした。美しいと言えば英子も貞子もそれぞれ花のように美しかったが、鮎太自身にとっては、二人は到底愛情の対象には考えられなかった。

鮎太は自分が美しい姉妹のいずれでもなく、高校生活三年を通じて、ずっと佐分利夫人に惹かれていることを思い、これだけは誰にも知らせてはならぬと思った。そこには何か知らぬが罪の臭《にお》いがあったからである。

その年、もう一度鮎太は上京した。

佐分利英子が声楽の勉強のために渡欧するので、その歓送会に出て来ないかという木原からの手紙を受け取ったのは暮のことであった。

鮎太はこの前の佐分利家訪問以来、もう二度と自分は佐分利信子の前へ姿を現わすことはないだろうと思っていた。佐分利夫人に対する思慕は烈《はげ》しくなるとも衰えることはなかったが、それを自分の心の内側で押し殺してしまおうと努力していた。土曜から日曜へかけて、毎週のように、久留米《くるめ》の有名な禅寺に通った。学業に対する興味はすっかり失《な》くなってしまって学校へは全然行かなかったが、禅に対する関心は強まり、苦学生ばかりがいる一番安い下宿に引越し、粗衣粗食をし、そこで禅関係の書物ばかり耽読《たんどく》した。

鮎太が木原からの手紙を読んだのは、禅寺の一年中の行事で一番重く見られている、十二月一日からの臘八接心《ろうはちせっしん》を終えて、福岡の下宿へ帰ったその日であった。

何日かにわたる接心で躰《からだ》は疲れていた。木原の手紙を鮎太は下宿の火の気のない部屋で読んだ。信子に会うことは避けねばならぬと思った。
残念ながら病気で上京出来ないという返事を木原に認《したた》め、それをポストすると、その足で鮎太は下宿から二、三町離れている海岸へ出た。福岡にしては、珍しく海からの風が身を切るように冷たい日であった。

彼の立ったところは小さい川が海に流れ込んでいる川口であった。潮が引いていたので川には水が少く、黒ずんだ州《す》が足許《あしもと》に拡《ひろ》がり、小さい名の知れぬ海鳥が何羽かそこに降りていた。

鮎太は自分から半町程のところに一人の二十ぐらいの風体の異様な青年が海に向かって立っているのを見た。

鮎太はその時誰にでも話しかけたい気持だった。何か話をしていないと、気持がやりきれなかった。

「寒いですね」

鮎太はその青年に声をかけた。青年はこちらを振返ったが返事をしなかった。赤茶けた髪は文字通りの蓬髪《ほうはつ》で、着物もぼろぼろな粗末なものを着ており、足は素脚だった。気がつくと彼は手に小さい猫を抱いていた。

彼は鮎太の方を焦点のない眼で見ると、直ぐ視線を再び海の方へ向けた。鮎太はその青年が狂人であることにその時気がついたが、その背後姿《うしろ》は、天涯孤独の寒々とした感じだった。

鮎太が彼の傍から立ち去ろうとすると、その青年は、緩慢な動作で二、三歩海の方へ歩きながら、

「行きたきゃあ、行けばいい」

と言った。その声が鮎太の耳に入った。

鮎太はぎょっとした。そしてそのまま彼から歩き去ったが、いつまでもその声は耳に残っていた。

行きたきゃあ、行けばいい！　行きたきゃあ、行けばいい！

青年は唐突に彼自身の意識のひと欠片《かけら》を何の意味もなく口から出したに過ぎなかったが、鮎太はそれを自分と無関係に聞くことはできなかった。

鮎太は、そうだ、行きたければ行くのが本当だと思った。

鮎太はその晩の夜行に乗って東京へ向かった。接心の疲れが汽車の座席へ坐《すわ》ると直ぐ感じられ、躰の節々が痛かった。

鮎太は二十何時間、その痛みを我慢した。

木原の下宿へ行くと、下宿には木原はいなかった。高等学校の時には一冊の書籍も

彼の部屋にはなかったが、いまは周囲の壁をぎっしりと書物が塞《ふさ》いでいた。工学関係の難しい書物ばかりだった。お茶を運んで来た下宿の内儀《かみ》さんの話に依《よ》ると、彼は大変な勉強家だということであった。人間変れば変るものだと思った。

その翌日、金子も大沢も木原の下宿にやって来て、久しぶりで四人が顔を合わせた。

佐分利英子への餞別《せんべつ》に何を贈るかが一座の議題だった。

「高等学校以来、何百杯の紅茶を飲ませて貰《もら》っているから、この際何か贈らなければならんと思うんだ。余りにも図々《ずうずう》しいからな」

と大沢は言った。

「しかし俺は郷里の蒲鉾《かまぼこ》を持って行ったことがある」

と金子は言った。

「こいつ！　一人だけ、こっそりとそんなものを持って行ったのか」

木原が詰《なじ》ると、

「こっそりと言うわけではないが、ともかく、みんな美味《おい》しいと言っていた」

と、金子はにやにやして、

「だが、俺ばかりではない。大沢は羊羹《ようかん》を持って行っている筈《はず》だ。いつか女中がそう言っていたぞ」

と言った。大沢は少し赤い顔をして、

「羊羹を持って行ったということが何だというんだ。木原は花の模様のはいったハンカチを何枚か持って行ったのを、俺はちゃんと見ているんだ」

すると、木原は、

「あれは、妹の箪笥《たんす》から無断で持ち出して来たものだ、お前らみたいに買ったりはせん」

と言った。鮎太は佐分利家に何も持って行った記憶はなかった。持って行かないのが自分一人だと知ると、友に裏切られたような暗い気持がした。

そんなことを、わいわい言い合った挙句の果に、佐分利英子への贈り物は、各自めいめい勝手な物を持って行くことにした。

その晩、四人は佐分利家を訪問した。木原が前以《まえもつ》て電話で先方へ伝えていたので、夕食の支度がしてあった。手製のフランス料理だった。歓送会をしてやるのではなく、それをだしに御馳走《ごちそう》になりに行った形だった。

大沢はどこで仕入れて来たか、しゃれたライターを机の上に置き、鮎太は革の手袋、木原は船の中で読むようにと言って柄にもなくコクトーの翻訳詩集。――金子は一人黙って小さい紙包みを机の端に載せた。

「しかし、やはり、俺はやめるよ」

と言って、金子はその紙包みを再び自分のポケットに捻《ね》じ込んだ。

「だめ、お出しなさい。折角持って来たんでしょう」

信子に言われて、金子は頭を掻《か》きながら再びそれを机の上に置いた。

信子が包みを開けると、内部から紅白の小さい菱餅《ひしもち》が二個出て来た。

「お祝いの意味ね」

信子が言うと、

「そうです。金が全然なかったんです」

と彼は言った。

その夜、四人とも、贈物をしたのだからそれが当然の権利ででもあるかのように、遠慮なく酒を飲んだ。信子に外で御馳走になったことはあったが、家で酒を出されるのはこれが初めてだった。

「英ちゃんのために乾杯しましょうよ。英ちゃんが翌檜《あすなろう》でないように！」

信子も酔いで頬を赤くしていた。翌檜というのは、いつか高等学校の時、あすは檜《ひのき》になろう、あすは檜になろうとして、ついに檜になれない翌檜の話を、鮎太がしたことがあったが、それ以来、翌檜という言葉は佐分利邸の応接室ではよく使われていた。

信子の言い方を以てすると、多くの人間は大抵翌檜だが、大きくなって檜になる歴《れつき》とした檜の子もその中に混じっている。ただそれの見分けがつきにくいことが問題だと言うのであった。

「誰が檜の子かしら。大沢さんかしら、鮎太さんかしら」

そんなことを、信子はよく言った。その口調の中には、若い者をけしかけるような悪戯《いたずら》っぽい響きがあった。

「高利貸でも何でもいいと思うの。人間、どの方面でも頭角を現わせば。一生名も出さず埋れるひとは嫌い」

そんなことを言う時の信子の眉《まゆ》は、いつも鮎太には険しく見えた。

「そう言う貴女《あなた》はどうなんです？」

と誰かが言うと、信子はいつも、同じことを答えた。

「私は駄目よ。もう人生は終ったんだから。でも、そう言う人を愛することは出来るでしょう。素晴らしい檜に出会わないものかしら」

鮎太はそんな時の信子の、少し蓮葉《はすつぱ》な媚態《びたい》を世にも美しいものと思った。貧乏嫌いで、派手で、有名好きで、高慢ちきな性格は、信子から切り離して考えると鼻持ちのならぬものであったが、信子の場合は、そうしたものが彼女の特殊な美しさを形造っていた。

その夜、佐分利邸の茶の間で、鮎太は、本当に信子の美しい義妹は、何年かしたら声楽家として立派な一本の檜になるかも知れないと思った。木原などの話によると、外国から来ている有名な声楽家にその才能を認められて、英子は本格的な勉強をするために渡欧するのだということであった。

「檜は英子さん一人かな」

大沢が言うと、

「貞ちゃんもたいしたものよ。いま学校で絵が一番上手なんですって！　檜よ、これも」

と信子は言った。

「僕も檜ですよ。五年先きを見ていて下さい」

木原が言った。もりもり勉強をし始めているらしい木原は、あるいはエンジニアとして、本当に檜になるかも知れなかった。

「僕も檜さ、しかしまともな伸び方はしないがね」

と、大沢が皮肉な口調で口を出した。頭のいい大沢も、何になるか知れないが、あるいはこれも檜になるか知れなかった。すると、金子が敗《ま》けずに、

「僕は翌檜に見えるだろう。ところがどうしてたいした檜なんだ。まあ、気長に見ていて貰おう」

「何をそんなに威張っていらっしゃるの、勉強もしないで」

信子が言うと、

「躰がものを言いますよ、躰が！」

それから金子は大声で濶達《かったつ》に笑った。高等学校時代には見られなかった鷹揚《おうよう》さと落着きが、金子の物の言い方にも、身のこなし方にもついていた。鮎太は、あるいはこんな男こそ、誰よりも大きい檜に成長するかもしれないと思った。

鮎太は黙っていた。冗談にも自分が檜になるとは言えなかった。学業を放擲《ほうてき》し、禅に凝っている彼は、有名にも金持にも無縁であった。自分はそれでいいと考えていた。それでいて、佐分利信子の前へ立つと、そうした自分が、ひどく卑屈で、無能な人間に思われて来るのが悲しかった。

その晩、大沢と金子は大変な酔い方だった。木原と鮎太が二人を一人ずつ抱えるようにして佐分利邸を辞した。大沢と金子は、彼等が愛しているらしい英子が日本を去って行くために、こんなに正体なく酔ったのかと鮎太は思った。そう思うと、二人の友がいじらしかった。

「淋《さび》しいのか」

と、鮎太が言うと、金子は、

「淋しい？　人間というものはもともと淋しいものなんだ」

と呂律《ろれつ》の回らぬ舌で言った。それを聞き咎《とが》めた大沢は、

「女々《めめ》しいことを言うな、淋しいのは人間ではなくて、日本の国だ」

と言った。その時に限らず、今度鮎太が会ってからの大沢の言辞は、見違えるように左翼的になっていた。

四人の中で真先きに有名になったのは大沢であった。

いつ大陸の方で戦争が勃発《ぼっぱつ》するか判《わか》らず、毎日の新聞の論調も国家主義一色に統一されている時代であった。ある朝鮎太は第何次かの左翼結社の検挙が大きく各紙の一面を埋めているのを見た。その中に大沢正秋の写真と名前が出ていた。鮎太が九州で迎えた二度目の春のことである。

文字通り鮎太は胸を衝《つ》かれた。新聞には何十行かの大沢に対する説明が載っていた。それに依ると、彼はいつからそうなっていたか知らぬが、全国の大学に於《お》ける左翼分子の指導的役割をつとめていたということであった。

大学の前の舗道で彼は検挙されたが、その際逮捕に向かった私服警官を二人も路上

に投げ飛ばしていた。どちらかと言えば、繊弱な彼の躰に、そのような戦闘的な力が匿《かく》されていようとは、ちょっと考えられぬことだった。

鮎太はそうした大沢と、英子への贈り物のしゃれたライターを佐分利家の応接室の机の上に置いた大沢とを、一つに結びつけて考えることは難しかった。

鮎太はその年の夏、九州の下宿を引き払って上京した。講義は聴かなくても、卒業論文さえ提出すれば曲りなりにも卒業できる筈だったので、残りの一年半をのんびりと東京で送ろうと思ったのである。

彼は、木原の世話で、染井の墓地の近くの素人屋《しろうとや》の二階に部屋を借りた。佐分利家へは歩いて三十分程の距離だったが、木原と金子と三人で訪問する以外は、一人で訪ねて行くことはなかった。

鮎太は金子や木原の下宿をもめったに訪問しなかった。二人とも、実習やら実験やらで、文科系統の鮎太とは違って、絶えず学業に追われていた。

鮎太にとって、卒業はまだずっと先きのことであった。彼は毎日眠りたいだけ眠り、後は町をほっつき歩いて、怠惰な生活を送った。卒業しても就職の当てはなかったし、親の脛《すね》を囓《かじ》れる間は、できるだけのらくらしてやろうという料簡《りょうけん》だった。禅もいつか倦《あ》き易《やす》い彼からは離れ、哲学がそれに替っていた。

鮎太が上京した年の十月のある夜のことである。木原が、佐分利家を訪ねるために彼を誘いに来た。

「金子はおらんが構わんだろう」

と彼は言った。何となく一人でも欠けたら佐分利家を訪ねては不可《いけ》ないような空気が、お互いの間に出来上がっていた。勿論《もちろん》何の取り決めもなかったが、そんな黙契が高等学校以来成立していたのである。

その夜、珍しく佐分利夫人は化粧していた。彼女は平常化粧しなかったが、化粧しなくても誰よりも美しく見えていた。

佐分利夫人が化粧しているということが、鮎太には妙に嫉《ねた》ましかった。何事かが彼女の身辺に持ち上がっているのではないかという予感があった。

と、果して、信子は、

「ちょっとお約束があるので、私失礼します。ゆっくり遊んで行って下さい」

そう言い残して、彼女は一人でいそいそと出て行った。

木原と鮎太は応接室で貞子を相手に話していたが、信子がいないとなると、鮎太には佐分利家の応接室は火の消えた感じだった。

貞子が部屋を外した時、鮎太は、

「君には悪いが、俺はもう帰りたいんだ」

と、木原に言った。

「君には悪いがとは何だ」

と、木原は聞き咎めた。

「君は貞子さんが好きなんだろう」

「莫迦《ばか》！」

と、木原は鮎太には取り合わず、貞子が姿を現わすと、

「お姉さんは再婚するんじゃあないですか」

と訊いた。

「さあ、どうか知りませんが、いつかは、実家《おさと》の方へ戻るでしょうね。直《す》ぐではないでしょうが」

と貞子は言った。

その夜、木原と鮎太とは、いつか四人で行ったことのある巣鴨のおでんやで酒を飲んだ。

「俺はとにかく怪しいと思うんだ。この前行った時、玄関へ入って行くと、夫人が丁度自動車に乗るところだったんだ。車の中を覗《のぞ》いて見ると、一人乗っている！」

そう言って木原は息を飲んだ。

「一人で佐分利邸へ行ったのか」

鮎太が詰《なじ》ると、

「そう怒るな。金子の奴《やつ》も一人で行ったんだ。俺ばかりではない」

そう言って、

「金子が行った時は先客があったそうだ。四十近いひどくかっぷくのいい奴で、戸外に自家用車を待たせてあったそうだ。俺の見た自家用車と同じだと思うんだ。もう駄目だ」

木原は真顔で悲痛な声を出した。

「何が駄目だ！」

「莫迦、判らないのか、俺はあのひとが好きだった」

そう静かに言って、木原は弱々しく笑った。その顔は混ぜ返すことが出来ないある悲痛さを持っていた。

「貞子さんじゃあないのか」

「お前じゃああるまいし。――俺は遅く生れたのが口惜《くや》しいな。もう二、三年待ってくれれば檜になれるんだが」

口惜しそうに言って、彼は立て続けに酒を飲んだが、顔は蒼白《あおじろ》む一方だった。

「俺は、大沢の奴も夫人が好きだったんじゃあないかと思うな。どうも、そんな気がする」

と木原は言った。

鮎太は自分の心の中は一言も洩《も》らさなかった。ただ、彼も妙に興奮して酒を飲んだ。

その夜、木原は坊主《ぼうず》になるのだと言っていたが、翌日彼を訪ねてみると、彼は長髪を刈って五分刈りの寒そうな頭をしていた。

それから十日程して、朝早く、鮎太がまだ寝ているうちに金子が訪ねて来た。大きい図体《ずうたい》の彼が階段を上がって来ると、階段はみしみしと音を立てた。彼は鮎太を起して、鮎太の寝床の上に坐《すわ》ると、

「俺は童貞を捨てて来た」

といきなりむっとしたように言った。

「ある一人の女の為《ため》に取っておいた童貞をつまらぬ女にくれて来た！　睡《ねむ》いから俺は眠るぞ」

そう言って彼は蒲団《ふとん》の中へもぐり込んだ。

「一人のひととは誰だ」

「そんなことが言えるか」

彼は、物も言わないで、十分程天井を見ていたが、やがて、本当に鼾《いびき》をたてて眠ってしまった。

鮎太は、金子もまた、佐分利夫人に恋をしていたのではないかと思った。鮎太は金子を残して部屋を出ると、この間木原から告白を聞いた時と同様に興奮して、やたらに染井の墓地を歩き廻《まわ》った。

そんな事があって一カ月程して、また性懲《しょうこ》りもなく、三人揃《そろ》って佐分利家を訪れた。が、応接間に出て来た信子には別段変ったことはなかった。変っているのはこっちの方だった。木原は照れてやたらに五分刈りの頭を撫《な》でていたし、童貞を失った金子は、心持か、彼女の前で肩身狭そうに悄然《しょうぜん》としていた。

それから翌年の夏までに、何回か、三人で佐分利家を訪れたが、信子は、いつもウイスキーかビールを出してくれて、彼女も一緒になって騒いだ。

「大沢さん、どうしていらっしゃるかしら？　でも、あの人は檜《ひのき》だったわ」

実際に大沢は檜に違いなかった。大沢と言えば、学生では誰もその名を記憶していた。新聞にも時々思い出したように彼の名が出た。

鮎太は何回となく信子が彼の名を口にするたびに、大沢に嫉妬《しっと》を感じた。

大沢に次いで檜であることを立証したのは金子であった。

日支事変が勃発すると同時に、金子は召集令状を受取った。東京駅に郷里の名古屋へ帰る金子を、佐分利夫人と貞子、それに木原と鮎太は多数の彼の学友たちの中に混じって送った。

戦争が始まって半月も経《た》たないうちの応召だったので、見送りは華やかだった。学生たちのバンドが、駅のホームで軍歌を奏し続けていた。学生服に白い襷《たすき》をかけた金子は、誰の眼にも強そうな兵隊に見えた。

「強そうね。でも余り無茶をしては駄目よ」

信子が言うと、

「大丈夫です。生れつき臆病《おくびょう》だから、背後《うしろ》の方で小さくなっています」

そう言って、

「奥さん、元気で、いつまでもあの家にいて下さい。冬、よく風邪をひくでしょう。気をつけないと不可《いけ》ません」

しんみりと彼は言った。

「まるで、私の方が戦争に行くみたい」

信子は明るく笑ったが、鮎太は傍で聞いていて、そんな金子を美しいと思った。自分と金子の二人が、佐分利夫人を争っても、到底自分は彼の敵ではあるまいと思った。彼を送ってから一カ月もしないうちに、金子二等兵は上海《シャンハイ》郊外のクリークの戦闘で華々しい戦死を遂げた。

彼の戦死の記事はA新聞社の特派員に依《よ》って、詳細に報道されて、A紙の社会面を賑《にぎ》わした。

決死隊に選ばれた彼は、右手を対岸にかけたまま、機銃の一斉射撃を浴び、左手を二回高く突き上げて、敵味方環視の中で水中に没したということであった。

彼の戦死の報が新聞に載った時、木原と鮎太は佐分利家を訪ねた。珍しく二人は信子の居間に通された。

机の上に、金子の小さい写真が飾られ、それが黒いリボンで結ばれてあった。そして床には、「この夏は血も汗もただに弁《わきま》えず」という彼が出立の日に遺《のこ》して行ったという短冊《たんざく》がかけられ、その前に線香が焚《た》かれてあった。

何もかも、鮎太には意外だった。彼が自分の写真を佐分利夫人のところに遺して行ったということも、ちょっと信じられぬ彼の一面であったが、鮎太は少しも嫌な気はしなかった。

また彼が俳句を作るということは知っていたが、このように重々しい句が、彼ののほほんとした人柄から生み出されているとは知らなかった。句の意味は多分に独りよがりのようであったが、鮎太は彼自身の勝手な見方で、その句の意味を考えていた。金子の佐分利夫人に対する気持がいつか鮎太などは遠くに置いてけぼりにして、血も汗も弁えぬ烈《はげ》しいものになっていたかと思った。

そしてそうした金子の気持を、佐分利夫人はちゃんと見抜いていたのではなかったか。いつか、英子の送別会の時、金がないので紅白の菱餅《ひしもち》しか買えなかったと彼は言ったが、あるいは金がないのではなく、彼は多くの贈り物の中から、それをわざわざ選んだのかも知れなかった。そんな彼の誠実さが今更のように鮎太には感じられた。童貞を棄《す》てたことなども、いかにも金子らしい所行に思えた。

鮎太は涙が双の瞳《ひとみ》から溢《あふ》れて来るのを停めることは出来なかった。一人の友のために彼は手放しで泣いた。

「泣いたって仕方がないわ。それより金子さんという檜のために乾盃《かんぱい》しましょうよ」

そう言って、信子は女中に日本酒を運ばせて来た。そして外出から帰って来た貞子も加えて、四人で、金子の写真の前で、決して酔うことのない酒を飲んだ。

その秋、貞子の作品が帝展に入選した。初入選の氏名の中に貞子の名を発見すると、鮎太は上野の美術館に彼女の絵を見に行った。

会場の真中頃に、佐分利貞子の、隣家の洋館の側面を描いた絵が並んでいた。葉鶏頭《はげいとう》が、灰色の色調の建物の壁の前で、燃えるように赤かった。素直な感じの絵だった。何事にも控えめな彼女のおとなしい性格がそこには如実《にょじつ》に現われていた。鮎太がそこに立っていると、信子と貞子がやって来た。多勢の入場者の中で、二人の麗人は遠くからでも際立《きわだ》って目立っていた。

「貴女《あなた》も到頭《とうとう》檜になりましたね」

と、鮎太が言うと、

「まだですわ、檜の子ぐらい」

貞子は謙遜《けんそん》して言ったが、さすが悦《よろこ》びを包み匿せないで、自分の作品の前に立って、それをじっと見詰めていた。

その日、鮎太は初めて佐分利夫人と二人だけで上野公園を歩いた。貞子が絵の先生の家へお礼に行くと言って、一人先きに帰ったからである。

小春日和《びより》の気持のいい日であった。鮎太は眩《まぶ》しい気持で信子の右側に添った。その時、歩きながら、信子は、

「木原さんはこんど伊太利《イタリア》へ交換学生で行くかも知れないんですって、二、三日前、報告に来ましたわ」

それは鮎太には初耳だった。

「そうすると、彼も到頭檜と言うことになるかな」

と鮎太は言った。

「そう大沢さんも、金子さんも、木原さんもみんな、どうやら檜ですわね」

「貞子さんも、英子さんも」

「あの人たちは、まだ檜の子」

「僕だけかな」

「何が？」

「翌檜《あすなろう》なのは！」

「だって、貴方《あなた》は翌檜でさえもないじゃあありませんか。翌檜は、一生懸命に明日は檜になろうと思っているでしょう。貴方は何になろうとも思っていらっしゃらない」

言われてみれば、その通りであった。鮎太は何になろうとも思っていなかった。親からの仕送りで、毎日毎日を、のんべんだらりと、怠惰に送り暮しているに過ぎなかった。哲学書を耽読《たんどく》していると言っても、それで学者になれるわけでも、それに依って生活の資が得られるわけでもなかった。

一生何をやろうと言う当てもなかった。そろそろ卒業論文に取りかからなければならぬ時期だったが、それさえも億劫《おっくう》になっていた。

翌檜でさえないと言う信子の言葉は、鮎太には労《いた》わりのこもった優しいものに聞えた。彼の劣等意識を、信子はそっとかばってくれているようであった。

広小路の方へ降りる坂の途中で、

「でも何かなさらないと、人間不可ないんではないですか、どうして、そんな暗い顔ばかりしていらっしゃるの」

「暗い顔をしていますか」

鮎太は自分が暗い顔をしているとは思っていなかった。

「気持をふっ切って、外国へでもどこへでも行く気持におなりになったら？」

「外国へなんか、第一金がありませんよ」

「お金なんか！」

変なことを言うと思っていると、

「貞子が、貴方となら結婚していいんですって！　自分の仕事を理解してくれそうな気がするんですって」

鮎太は顔を上げて、信子の顔をみた。彼がこれほど真直ぐに信子の顔を見詰めたことは、これまでに一度もなかった。鮎太はここ何年かの信子への思慕が、それはそれなりに、木原や金子や大沢のそれに較《くら》べて、それに勝るとも決して劣るものとは思っていなかった。

鮎太は発作のように可笑《おか》しさが込み上げて来るのを感じた。軽く声を出して笑った。笑いはとまらなかった。

「どうなさったのよ、嫌な方」

「可笑しいんです」

「何が？」

「何もかもが」

笑いがとまると、鮎太は用事を思い出したと言って、信子に別れて、行先きを確かめずに真先きに来た市電に乗った。

鮎太に召集令状が舞い込んだのは、その年の十二月で、大して熱意もなく卒業論文に取りかかったばかりの時であった。論文の提出には、もう余すところ二カ月ばかりしかなく、否《いや》でも応《おう》でも何か書かなければならない瀬戸際に追い詰められていた。

鮎太は一枚の赤い紙で、自分が突然のびのびとした場所に解放されるのを感じた。

それを受取って自分の部屋へ戻って来ると、二十枚ばかり書きかけた論文の草稿を二つに破り、仰向《あおむ》けにごろりと寝転んだ。

その日鮎太は古道具屋を招《よ》んで彼の部屋にあるがらくたを二束三文で売り飛ばすと、弘前《ひろさき》にいる両親のもとと郷里の伊豆の役場へ電報を打った。

名古屋の野戦重砲隊への入隊までには三日しか残されていなかったので、弘前へ帰る余裕も、郷里へ帰る余裕もなかった。

木原の下宿へ、酒を一本提げて出掛けて行った。木原は来春早々、伊太利へ交換学生として行くことになっており、その支度に何かと忙しく暮しているらしく、その日も留守だった。

鮎太は木原の部屋で、彼を待って、一時間程一人で酒を飲んだが、諦《あきら》めて腰を上げた。誰が飾ったのか、机の上には、寒菊が二輪活《い》けてあり、それが眼に滲《し》みた。鮎太は八分通り残っている一升壜《びん》をその菊の横に置いた。

戸外へ出ると、足は自然に、佐分利家の方へ向った。

途中で、鮎太は佐分利家に電話を掛けておいて、久し振りで同家を訪ねた。佐分利夫人と顔を合わすのは、上野公園以来であった。

いつか金子の戦死が新聞に出た日と同じように、彼は信子の居間に通された。小さい中庭の何本かの竹に冬の陽が静かに当っていた。

「兵隊さんですってね」

くすくすと笑って、信子はその部屋へ入って来た。そんな最初の切り出し方が、鮎太には好ましかった。

「大丈夫？」

信子は言った。

「信用がないんですね」

「だって、二年のらくらしていたんでしょう」

「僕だって、坐禅《ざぜん》をくんだ時代もあります」

鮎太はそう言って、信子の顔に眼を当てた。今までついぞなかった程、気持は自由だった。

鮎太はたいしてぎごちなさを感じないで、

「貴女はいつか、翌檜でさえないと、僕のことを仰言《おつしや》いましたが、僕はやはり自分を翌檜だと思っているんです」

と言った。

信子はその鮎太の言葉をどう取ったか判《わか》らなかったが、

「私も翌檜ですわよ」

と言って笑った。

「何になろうと思ったんです？」

「何かに」

そして暫《しばら》く間を置いてから、

「でも、駄目でしたの、大翌檜ですわ」

その言葉は、自分自身に言っているような調子だった。

気が付くと、信子の化粧していない顔が、庭からの光線の加減か、少し蒼味《あおみ》を帯《お》んで見えた。鮎太はふと、いつか木原とここを訪ねて来た時、いそいそと外出して行った彼女の姿を想《おも》い出した。彼女の翌檜問題は、あの頃の彼女に関係しているのではなかろうかと思った。

貞子がお茶を運んで来た。

「ここにも、翌檜が一人おりますわ」

信子は言って、

「貞ちゃん、お酒の支度なさいよ」

ちらっと、彼女は悪戯《いたずら》っぽく、鮎太を見た。そして、

「何か書いて戴《いただ》こうかしら。でもよしましょう。よした方がいいわ」

信子は金子が書いた短冊のことを思い出し、ふと、その事を不吉に感じたらしかった。

「この夏は血も汗もただに弁えず」――金子の書き遺して行った句が、切なく鮎太の心にのしかかって来た。高等学校以来の彼自身の恋情の重さが、この時急に彼の心の内側から突き上げて来て、彼は突然自分でも理解し難い衝動にかられて左手を高く突き上げた。

その変梃《へんてこ》な動作に信子は驚いたらしかったが、鮎太はそれをゆっくりと繰返した。金子がクリークに身を没する直前にしたと言う動作ほど、彼のこの時の心にぴったりしたものはなかった。鮎太は長いことじっとそこに坐《すわ》っていた。満々と水を湛《たた》えたクリークの水面から突き上げている亡《な》き友の二本の手は、いつまでも鮎太の眼から消えなかった。

春の狐火

梶鮎太は途中に兵隊生活を挾んで、長い大学生活を終ると、大阪で発行されている一流紙のR新聞社に入社して、新聞記者になった。

二年間の大陸に於《お》ける野戦の生活で、鮎太はいろいろの事を経験し、物の考え方や見方にもかなり大きな変化を持ったが、ただ一つどうにも変えることのできぬものがあった。それは高等学校の頃から彼の心の中で特殊な椅子《いす》を持っている未亡人佐分利信子に対する気持である。

佐分利信子は鮎太が応召して大陸へ渡ってから間もなくかなり知名な実業家と再婚した。

その知らせを鮎太は第何次目かの永定河《えいていが》の渡河戦の直前、彼女の妹から受取っていた。

鮎太は、彼が大陸で経験した最も凄惨《せいさん》なその渡河戦の翌日、多くの戦友たちの屍体《したい》を河州の一隅で焼きながら、自分が昨日までの自分と全く異っていることを感じていた。信子どころではなかった。信子の幻影など昨日までの自分がそれに取り憑《つ》かれていたことが可笑《おか》しい程ちっぽけで貧弱だった。その時は、自分が生きていたと言うことだけの大きい感慨でいっぱいだった。あらゆる人間の営みは絶望的であったが、そうした中に於《お》いてもなお人間は生きなければならない、生きることだけが貴い、そんな感情の昂《たか》ぶりだった。広い河の水の面には北支の初秋の陽が細かく散り、屍臭と、屍体を焼く紫の烟《けむ》りが川波の上をゆっくりと渡って行った。鮎太はぼろぼろ涙を流していた。自分が生きていたという不思議な今日という日に対する感激だった。

本当ならこれで、鮎太の、高等学校以来それまで続いていた佐分利信子に対する、一回の意志表示もしたこともない一人相撲の青年時代の恋愛は、きれいに終止符を打って然《しか》るべきであったが、鮎太の場合はそうは行かなかった。

信子の影像が小さく遠く見えたのは、永定河の河州に於てのただ一日のことでしかなかった。

内地へ帰還してみると、彼の心のどこかには、依然として佐分利信子の亡霊がひそんでおり、それがいつ如何《いか》なる時でも、鮎太を見守り監視しているようであった。勿《もち》論《ろん》鮎太は再婚した信子がどこに住んでいるかも知らなかったし、信子に会いたいとも、信子と話をしてみたいとも思わなかった。

ただ鮎太は時折、自分が他の青年たちと異っていることを感じた。酒場の女給とか、同僚の妹とか、そうした若い女性のことで、新聞社の仲間たちはわいわい騒いでいたが、鮎太はいつもその仲間入りすることが出来なかった。青年らしい心の燃え方がなかった。信子に較《くら》べると、いかなる女性も、例外なく貧しく、薄汚れて見えた。

鮎太にとって新聞社の仕事は面白かった。戦争は、結局鮎太の信子に対する感情を微塵《みじん》も変らせることはできなかったが、彼の引込み思案の性格には多少の変化を与えた。彼は戦争から帰ると、むしろ活動的な人間になっていた。

新聞社内はあすなろでいっぱいだった。誰も彼も翌檜《あすなろう》だった。その日その日が翌檜の生活だった。明日は特種を取ろう、明日は他紙の連中の鼻を空かしてやろう、そんな競争意識で編集局内を忙しく出入している連中ばかりだった。

戦争初期のことではあるし、社内には一種のスターシステムが布《し》かれ、派手な特種を取れば、社会面に大きく署名入りで記事が載った。例外なく若い記者たちは全部特派員として、大陸や南方へ従軍したがっていた。

鮎太は入社すると直《す》ぐ社会部へ廻《まわ》され、一年間は下働きをしたが、二年目から警察を持って、どうやら一人前の駈《か》け出し記者として遇された。

鮎太は多勢の先輩記者の中で、二人の人物を尊敬していた。一人は部長の山岸大蔵、もう一人は山岸より寧《むし》ろ先輩でありながら、今だに社会部の隅の方でうだつの上がらぬ生活をしている老記者、春さんこと、杉村春三郎《はるさぶろう》である。

部長の山岸は見るからに精悍《せいかん》な感じのする典型的な新聞記者で、やりての社会部長として他社からも怖がられている人物であった。二十何貫の巨軀《きょく》と、癇癖《かんぺき》と、大きな太い声を持っていた。

「行け！」

事件が起きると、彼はそこにいる記者の方に向かって、こう短く呶鳴《どな》った。この「行け」の時と、号外のベルを押す時の彼が、鮎太は好きだった。単純だったが男性的な魅力がその巨体に溢《あふ》れていた。

号外を出さなければならぬ記事が持ち込まれると、彼はざっとそれに眼を通し、その取扱いの伺いを立てているデスクの方は見向きもしないで、ゆっくりと席を立った。そして自分の席の直ぐ背後にある大きい円柱のベルの方へ、背後《うしろ》向きに二、三歩寄って行き、片手を背の方へ廻して、自分以外誰も押す権限を与えられていないそのベルを押した。

号外発行を指令する電鈴は編集局、工場、その他必要部署に鳴り響く。それと同時に、急に社内は色めき立って来る。山岸大蔵の周囲には、多勢の人間が詰めかけて来る。

「何だい、一体」とか「何の事件だ」とか、彼を取り巻く幹部たちの質問が彼に向かっていっせいに発射される。

このベルを押す時の山岸大蔵の表情は、その他の時とはまるで違って活《い》き活《い》きとしている。いかにも新聞記者の生活に生き甲斐《がい》を感じている男の、満足な表情であった。

鮎太はこうした山岸社会部長を尊敬もしていたし、自分もまた彼のように一事に没入し、そこに生き甲斐を感ずる男になりたいと思った。山岸大蔵のベルを押す時のような表情を持ちたいと思った。

杉村春三郎はまるでこれと対蹠《たいしょ》的だった。鮎太は入社当初、杉村から新聞記者の手ほどきを受けた。あとで知ったことであるが、この至極一線の新聞記者らしからぬのんびりした仕事は、毎年春になると彼に廻って来る仕事であった。

「新聞記者という者は、一生に一度大きいスクープをすればいい。それだけで大記者だ。そうそう大特種というものは廻って来るものではない。一生に一度も大記事を取れないような奴《やつ》は、これは論外であるが、何も、諸君はがつがつと事件事件で毎日眼の色を変える新聞記者になる必要はない」

杉村春三郎は、「春さん」とか、「お祭り春さん」とか呼ばれていた。尤《もっと》も「お祭り春さん」の方は蔭《かげ》でそう呼ばれるのであって、面と対かっては「春さん」である。この春さんの新入社員に対する訓辞は、まことに春さんらしいものであり、そのまま春さん自身の信条でもあり、慷慨《こうがい》でもあり、忿懣《ふんまん》でもあった。

彼は彼自身のこの言葉のように生きていた。決してがつがつと跳び廻ることはなかった。入社以来三十年の社会部では飛び抜けての最古参であったが、春さんは火事の記事と、それから神社仏閣の催しとか祭礼とかの記事しか受持っていなかった。

勿論初めから彼にこうしたポストが与えられたわけではない。いつ頃からか知らないが、彼の性格と彼の生活信条と彼の勤務態度とが、自然に彼にこうした特殊なポストを与える結果になったのであった。

春さんは長身で、額は大きく抜け上がっていた。動作は悠々迫らぬ緩慢さを持し、口のきき方も極めて鷹揚《おうよう》であった。

彼は彼自身の言葉のように、絶対に何事にもがつがつしなかった。どんな大事件が起っても自分から腰は上げなかった。しかし、どんな小火《ぼや》でも、彼はゆっくりと立ち上がって行く。そして仔細《しさい》に火事場を見学し、社へ帰って来て三行の記事を書く。

それから鮎太自身春さんについて行って知ったのであるが、神社の祭礼などになると、彼はまる一日をつぶして社務所に坐《すわ》り込み、縄張りの世話から、賽銭《さいせん》の入り具合の心配までして廻った。春さんのそうした日の一日は忙しかった。だから神社仏閣は勿論、町内の小さいお稲荷《いなり》さんなどに対する彼の顔は大したものであった。彼はあらゆることの相談に乗ってやっていた。しかし遅く社へ帰って来て書く記事はほんの三、四行であった。「×日、××神社祭礼」時には一行に虐待《ぎゃくたい》されることもあった。

しかし春さんはそうした社の自分の待遇にさして不満は持っていなかった。ただ、一生涯一度の、大記者たるを証明する大事件にはまだ出会っていないらしく、彼が特種を取ったという噂《うわさ》は一度も聞かなかった。

鮎太は多勢の先輩記者の中で、この山岸大蔵と杉村春三郎の二人を特殊な眼で見ていた。春さんは春さんで立派だと鮎太は思った。自分が山岸社会部長のような記者になりたいと思うと同時に、春さんのようになるのもまたそれはそれで立派ではないかと思った。

彼は入社してから二年の間、よく春さんの家を訪ねた。大抵仕事のことで意気銷沈《しょうちん》した時である。

××駅構内で汽車が追突して数十名の死傷者を出した事件があったが、その時も鮎太は新聞社の帰りに住吉《すみよし》公園に近い春さんの家を、遠路遠しとせず、わざわざ訪ねている。瀕死《ひんし》の重傷を負って朱《あけ》に染まって倒れている運転手を抱き起して、その氏名と年齢、住所を訊《き》き出す芸当ができなかったからである。

鮎太はまたある殺人事件の被害者の娘の写真を、その家から借り出さなければならぬ立場に立ち、それができないことがあった。翌日の新聞には、競争相手のL紙では、堂々と大きいその娘の写真を載せていた。後で判《わか》ったことであるが、L紙の記者は、告別式の際、飾られてある娘の写真を、焼香者に紛れ込んで焼香しながら、無断借用して来たのであった。

この二つの事件に限らず、鮎太はこうした種類の記者活動が苦手だった。どこかに社会部記者としては気の弱いところがあった。

山岸大蔵に言わせると、「もう一つ押しが足りなかった」し、杉村春三郎の言葉によると、「ええやないか、そんなこと他の奴に任せておけ――」であった。

鮎太は新聞記者として自信を失った時は、いつも春さんの小さい平家建ての借家を訪ねた。

春さんは十年程前に細君に別れて、清香という古風な名前を持っている一番末の妹と一緒に生活していた。

清香は春さんに似た顔を持った二十二、三の娘で、いかにも心から兄の春さんを尊敬しており、彼に愛情を持っていた。それが、春さんの家を訪ねて行くとよく判った。

ある時、鮎太は春さんからの意外な申込みを受けた。

「どうや、俺のところの妹を貰《もら》わんか。君にべた惚《ぼ》れや。貰うても損はないぜ」

鮎太はその時返事ができなかった。春さんの言葉が彼流の言い方ではあったが、冗談の調子のない生真面目《きまじめ》なものであったからである。

「悪い話ではないと思うがなあ」

春さんは、鮎太がその話に二つ返事で飛びついて行かないことが不満のようであった。

鮎太は正面から断わるわけにも行かなかったので、その場は何となく誤魔化しておいた。

「まあ、ええわ、急ぐことはない」

春さんもそんな風に言った。

春さんが貰っても損はないと言ったように、清香は確かに可愛《かわい》らしい、邪気のない気立てのいい娘であった。美人ではなかったが、笑うと両頬に大きいえくぼができて、それが可憐《かれん》だった。

いつか社会部の春の懇親会で、「春さんに過ぎたるものが二つある」と、誰かが浪花《なにわ》節《ぶし》で彼をからかったことがあったが、その過ぎたものの一つは妹の清香であった。鮎太はこうした妹の清香が、自分に対して特別の気持を持っているのではないかということには以前から気付いていた。春さんの家を訪ねる度に、鮎太は時折、白眼の多い眼でじいっと自分を見詰めている清香の視線を感じた。それから又、いつか春さんが留守で、鮎太は清香と部屋に対《む》かい合って坐ったことがあったが、その時の清香は、少し調子でも外れたように、虚《うつ》ろな儚《はかな》い感じの笑い方で、鮎太が何か一言言うとその度に笑った。

又、一度こう言う事があった。鮎太は春さんの家で酒を御馳走《ごちそう》になり夜遅く帰ったことがあるが、その時清香は家から三町程離れている省線の駅まで彼を送って来た。途中では一言も清香は喋《しゃべ》らなかった。鮎太は駅の改札口で清香と別れてホームへ出たが、故障で電車は三十分近く遅れた。

寒い時で、鮎太はその三十分の時間をホームをあちこち歩きづめに歩いて過したが、入って来た電車に乗って、電車が動き出してから何気なく窓外へ眼をやって驚いた。駅の木柵《もくさく》のところに、襟巻で口を覆《おお》って、じっと動いているこちらの電車の方へ顔を向けている清香の姿を眼にしたからである。

春さんから清香の話が持ち出されて半年程してから、突然春さんは彼の郷里である岡山の田舎町の通信部主任となって転出することになった。春さん自身が前から希望していたためであるとか、春さんの意嚮《いこう》とは全く別に、社の幹部に依《よ》って採られた春さん追い出しの処置であるとか、いろいろな噂があった。

当人はそれについて何事も語らなかった。嬉《うれ》しくもなさそうであったが、と言って、別段嫌でもなさそうであった。

「祖先の墓を守り、百姓をやりながら、傍ら新聞記者をやるというのもええぜ」

彼は会う人ごとに、そんな風に言っていた。

春さんが大阪を発《た》つ二、三日前に、鮎太はこの不遇な老新聞記者の家を訪ねた。その時春さんは、

「まあ、いいさ。男と女のことはみんな縁というものでな。幾ら好きでも縁がなければ一緒にはなれない」

と、そんなことを言った。清香との結婚話についての、春さんらしい打ち切りの宣言らしかった。その席に清香もいたが、彼女はむしろいつもの彼女より落着いていて、縄をかけた荷物がいっぱい置かれている部屋で、彼女は鮎太のために林檎《りんご》をむいてくれた。そして四つに割った林檎の切片を、一つ一つホークに刺して、鮎太の方へ差し

出して寄越した。

鮎太は後まで、この時の清香の印象が心に残った。素朴な横顔と、白い手指が、長く下に垂れている赤い林檎の皮と共に美しく見えた。

鮎太は、彼が清香ばかりでなく、他の如何《いか》なる女性をも、愛情の対象として考えることのできないことを、春さんにも清香にも伝えることのできないのが残念だった。そんなことを話そうものなら、ひどく気障《きざ》っぽくなったからである。

実際に、佐分利信子を女王とすれば、清香に限らず他の多くの女性が下婢《かひ》でしかなかった。信子は総《すべ》てのものを所有していたが、彼女以外の女性は何物をも所有していなかった。鮎太の眼には、信子の持っている悪徳と称すべきものさえ美しい彼女の財宝に見えていたのである。

そしてその財宝の宝庫はどこに行って、どこに住んでいるか知らなかったが、鮎太の心の中では依然として大きい権力を持っていた。総ての彼の眼に触れる女性から一切の輝きを取り上げていた。佐分利信子に一度憑《つ》かれたことのある鮎太の眼には、清香は、単に気立ての優しい、虔《つつま》しい、平凡な女性にしか過ぎなかった。

鮎太は他の何人かの同僚と一緒に春さんと清香を、大阪駅へ送って行った。大阪地区に大々的な動員のあった頃で、駅は応召者とその見送りで雑沓《ざっとう》を極めていた。長いこと住みなれた大阪の土地を去って行く春さんの姿は、どこか鮎太たちの眼には淋《さび》しく映った。

佐分利信子が突然鮎太を新聞社に訪ねて来たのは、彼が新聞記者になってから三年目の春であった。

「横溝さんと言う方が面会です」

と、受付から電話があったが、鮎太はその名前に記憶がなかった。

「三十ぐらいの奥さんと五十ぐらいの御主人らしい方です」

少し声を低めた受付の女の子の声が、また聞えて来た。

鮎太は会ってみることにして机を離れた。

そして階下への階段を中途まで降りて、鮎太は視線を下の受付の方へ投げたままそこに棒立ちになった。

佐分利信子と、彼女の主人らしい上品な紳士が立っていた。二人は新聞社の受付では余り見受けない豪華な一組だった。

鮎太は、咄嗟《とっさ》の判断で、降りて来た階段を大急ぎで上がった。そして二人が視野の外に出た時、鮎太は初めて佐分利信子に会うべきか否《いな》かを考えた。

恐らく信子は夫と共に何かの用事で大阪へやって来て、ここのR新聞社に鮎太が勤めていることを誰かから聞き知っていて、それを憶《おも》い出し、旧知でも訪ねるつもりでやって来たものと思われた。

「昔、学生さんの頃、よく私のところへいらしっていた方なんです」

そんな風に、信子は自分を彼女の夫に紹介するだろうと思う。信子にしてみれば、その言葉にはいささかの偽りも含まれていない。全くその通りであった。鮎太は曾《かつ》て彼女を取り巻いていた男友達の一人であるに過ぎなかった。

しかし鮎太の方は違っていた。彼は自分の心の中に長年月にわたって、現在もなお生々しく呼吸している一人の女性を、何年かぶりで平静に見得る自信はなかった。

鮎太はそのまま階下へ降りて行かず、改めて、給仕に彼の不在を告げさせた。

その晩鮎太は二、三人の同僚と何軒かの酒場を飲み歩いて酩酊《めいてい》した。彼の心の中で古い傷口が改めてむごく引き裂かれていた。佐分利信子は依然美しかった。そして彼女の夫も、彼女に相応《ふさわ》しい上品な富裕そうな紳士であった。二人が並んで立っていた姿が、時々同僚と盃《さかずき》のやり取りをしている鮎太の眼の先きにちらちらした。

「情熱というものの量は、人間、一定量だと思うんだ。俺の場合は一人の女性にその全部を費《つか》い果してしまったので、もう今は残っていない。誰を愛することもできないらしいんだ」

そんなことを、鮎太は真剣な気持で言ったが、誰にも相手にされなかった。

「莫迦《ばか》を言え！　俺の場合は尽きずに、こんこんと湧《わ》いて来る」

とか、

「深刻そうなことを言うな。学生時代の恋愛なんか恋愛のうちではないんだ」

そんな調子で混ぜっ返された。しかし、鮎太は本当に自分は、あの一人の女性のために情熱というものの総てを既に費い果してしまったと思った。

その晩下宿の部屋へ帰ると、机の上に、杉村春三郎からの手紙が置かれてあった。彼が大阪を去ってからの最初の便りであった。鮎太の方は、最初自分に新聞記者の手ほどきをしてくれた老先輩に、時折時候見舞の葉書ぐらいは出していた。

山の中の小さい町のこととて、地方版に載るような記事も一週間に二つか三つで、まして全国版に載るような記事は何カ月に一つあるかないかの状態だ。やはり新聞記者は都会で働かなければ嘘《うそ》だ。大阪の様子も時折報《しら》せてくれ。こちらには何もお報せするようなことはない。近くの山の中腹に毎晩のように狐火《きつねび》が出るくらいがニュース。春の狐火という俳句を数句作った。

ざっとこうした音信の内容であった。

鮎太は机の上に腰を降ろしたまま、泥酔《でいすい》の躰《からだ》をふらふらさせながら、それを読んだ。泣きたい程久しく会わない不遇な先輩記者が懐《なつか》しかった。

昼間の佐分利信子の事件もあって、鮎太はその晩心弱く感傷的になっていた。酔いも手伝っていた。今夜のような晩、もし春さんが大阪にいたら、自分はきっと彼を訪ねて行ったろうと思った。

何回かその春さんの手紙に眼を通しているうちに、鮎太はふと、酔っている頭の底で、

「春の狐火は記事になる！」

と思った。春さんの言うことが真実なら、その狐火を写真に撮って、それに説明をつければ、ちょっとした読みものになる筈《はず》であった。

翌日、鮎太は部会の席上で春さんの「春の狐火」のことを提案した。

「そいつは、ちょいと面白いな」

直《す》ぐ眼を光らせたのは部長の山岸大蔵だった。

「鮎太、行ってみろよ……」

と彼は言った。

「写真を連れて行きますよ」

「勿論《もちろん》だ」

「記事は春さんに書いて貰っては不可《いけ》ませんか」

鮎太は、春さんに杉村特派員発の署名入りの記事を書かせたかった。

「春さんは下手だからな」

「僕が手を入れますよ」

鮎太はその頃、軽い読物風の記事では社内有数の書き手とされていた。

鮎太は写真部の若いカメラマンを連れて、その夜の汽車で中国の山地にある春さんの郷里の町へと向かった。春さんには社から電報を打っておいた。

狐火を見に行くと言うことは、妙に、その時の鮎太の気持にはぴったりしていた。勿論狐火というものは、鮎太は生れてまだ見たことはなかった。鮎太は伊豆の山奥で小学校時代を送っていたが、山に狐火が出たという話は一度も聞いたことはなかった。

「狐火の写真って、撮れたら確かに相当なニュースですね」

少年のような若いカメラマンは、新聞社に入ってからの最初の出張に興奮していた。

「いいものを撮りますよ。読者をあっと言わせるような奴《やつ》を――」

彼は眠ろうとして眼をつむっていたが、なかなか眠れないらしかった。

「狐火を撮るのが嬉しいか」

「だって、まだ誰も撮ったことはないでしょう」

彼もまたあすなろだなと、鮎太は好感をもって若いカメラマンを眺めた。

鮎太は、部長の山岸大蔵にも言ったように、記事は春さんの名で打電しようと考えていた。春さんが生涯書いた沢山の記事の中で、これがあるいは最も派手なものになるのではないかと思われた。鮎太は一度だけ自分の力で、たとえ小さくても、春さんに最後の花を咲かせてやりたかった。

鮎太自身は狐火の取材に行くというその事だけで満足だった。佐分利信子に訪問された直後の救われない淋しさは、青い（そう鮎太には思われた）狐火を見るということで幾らかでも慰められそうな気がした。

翌日の昼、鮎太は中国山脈を横断しているS線の山間《やまあい》の小駅に降り立ち、部落の外れの春さんの家の玄関に立った。暫《しばら》く見ないうちに、春さんはすっかり年取っていた。田舎の通信部の事とて、服装を構わなくなっているせいもあった。

「よお、鮎太、出て来たな。それでもよく出張できる身分になったものだな。ろくすっぽ記事の書き方も知らなかったのに」

春さんは先輩の口調で興奮して言った。自分の教え子が大学教授にでもなったような悦《よろこ》び方だった。

夕方まで鮎太とカメラマンは春さんの家の茶の間で睡《ねむ》った。昨夜ろくに眠っていなかったし、それに幾つか乗り継ぎして、長時間汽車に揺られて来た疲れが出ていた。眼がさめると春の夕暮が、春さん自慢の狭いがよく手入れのできている中庭に立ちこめようとしていた。

鮎太は眼を覚まして寝床に横たわったまま、硝子戸《ガラスど》越しに、中庭に眼をやっていた。大阪辺では余り見られない白い桜が庭の隅で二本満開であった。

春さんも清香も、たまの都会からの来客が嬉しいらしく、二人とも台所で絶えず喋《しやべ》りながら、忙しそうに食器の音を響かせていた。

夕食は卓いっぱいに料理が並べられた。地酒が美味《うま》かった。春さんも鮎太も酔いが廻《まわ》る程飲んだが、若いカメラマンだけは、仕事前だからと言って盃に手を触れなかった。

「よお、こっちへ来て初めて化粧をしたな」

春さんは妹の清香をからかうように言った。

「ほんと、そう言えば初めてですわ」

清香も言った。はにかまないで、兄の言葉をそのまま受け入れているところなど、相変らず素直な感じだった。

九時に、鮎太とカメラマンは、春さんに連れられて、家の裏手から裏山へと登って行った。石のごろごろした歩きにくい道だったが、さして困難には感じなかった。春の宵のそぞろ歩きといった感じで、三人は時々立ち止まって、路傍の樹木の梢《こずえ》を仰いだ。

「これも桜だ。昼見たらきれいだろうな」

春さんは満開の桜が、いかにこの山道に多いかを、二人に知らせたいらしく、桜樹に注意して歩いていた。

上りは十分程で、直ぐ平坦な場所へ出た。小さい丘陵の背らしかった。

「ここらで休んでいよう。ここで見るのが一番いいと思うんだ。一列に並んで見える筈だ」

春さんの言葉で、鮎太たちもそこへ腰を降ろした。

狐火の出るのは、ここから半里程隔たった対《む》かい山の中腹だと言うことだった。

「いつも狐火というのは真冬に出るのだそうだが、今年はどうした加減か春だ。こんなことは珍しいと村でも言っている」

鮎太たちの腰を降ろしている前方は、土地がそのままゆるやかな傾斜をなして落ち込んでいた。樹木は殆《ほとん》どなく、大部分が山芝に覆《おお》われ、一部に熊笹《くまざさ》が密生しているらしかった。

傾斜面の裾《すそ》には鮎太たちが乗って来た山間鉄道の線路が走っていた。春さんの話では、ここらあたりが、北海道、信濃《しなの》の高原鉄道に次いで、全国で何番目かに高い場所だということであった。

「ほおう、点《つ》きおった！」

春さんの言葉で眼を前方へ移すと、なるほど対かい山の中腹と思われる辺りに、丁度提灯《ちょうちん》の光かと思われるくらいの小さい明りが、数珠《じゅず》繋《つな》ぎに何十か並んで見えた。

「きれいなものだな」

カメラマンが言った。

「そんなこと言っていると化かされるぞ」

春さんは狐火が点《とも》ってくれたことに満足そうであった。

それを見ていて、狐火というようなものを見ている感じではなかった。花火でも見物する客のような、のどやかなものが三人の周囲にはあった。

「本当に、あれ、狐火ですかね」

信じられぬようなカメラマンの口調だった。

「なら、何の火だい、今頃、あんな場所に、あんなに沢山火が並ぶかい」

カメラマンは時々カメラのシャッターを切っていた。

「何しろ遠いのと、光が小さくて弱いのとで、あまりいい写真にはなりませんよ」

「それらしいものが映ればいいんだ。はっきり撮れたら却《かえ》って可笑《おか》しいだろう。狐火なんだから——」

鮎太は春さんとカメラマンの言葉を耳にしながら、この世ならぬ遠い火の隊列を見詰めていた。青い光ではなく、むしろ赤い暖い色であった。

注意して見ていると、一列に並んでいる火は微《かす》かに移動しつつあった。そしてその光は時々強くなったり、弱くなったりしていた。

不気味さは全然なく、妙に清潔な、しかしやはり淋しい感じのものであった。

「よかろう、もう」

春さんの言葉で三人は立ち上がった。

三人は家に帰ると、これで仕事も終ったという気分で、改めて酒を飲み出した。鮎太は、酒が廻って来るにつれ、もう一度外へ出てみたくなった。彼は何か賑《にぎ》やかに話をしている春さんとカメラマンを部屋に残して、中庭の下駄《げた》をつっかけて戸外へ出た。

鮎太はまた先刻の山道を、今度は一人で上って行った。夜風はあったが少しも寒くなかった。生暖い春の夜気がどんよりと辺りに漂っていた。

足が少しふらついていた。丘陵の背へ出てみると、先刻の狐火は消えていた。十分程鮎太は一人で山頂に腰を降ろしていたが、もう対かい山の中腹には小さい光の列は点らなかった。

鮎太は立ち上がったが、また腰を降ろした。山道を上ったので、急に酔いが出たらしく、足もふらついていたが、それより躰全体がけだるかった。

鮎太は、ふと、どこかで賑やかな唄声《うたごえ》がしているような気配を感じた。丁度どこかこの近くで盆踊りでもしているような感じで、唄声の気配は華やかで賑やかであった。しかし、それはそうした気配がしているというだけの話で、実際に鮎太の耳へ、そうしたものが届いているわけではなかった。

鮎太は何回も耳を澄ませてはそれを確かめようとした。

鮎太は立ち上がると、山のゆるい斜面を鉄道の線路が走っている方角へ降りて行った。

そして十分程で、二本のレールが薄明りの漂っている闇《やみ》の底を走っているのが見える場所へ出た。

鮎太は自分が隧道《すいどう》の上に立っていることに気付くと、更にそこを降りて行った。レールに沿った半間程の道が丘陵の裾を廻るようにして伸びており、その向うは又崖《がけ》になって落ち込んでいた。

鮎太は、突然女の声を耳にして立ち止まった。振り返ろうとすると、闇の中に女の姿がこちらに動いて来るのが見えた。いかにも盆踊りの輪から一人だけ脱《ぬ》け出して家へでも帰って行こうとしている娘の感じだった。

女は鮎太に近寄って来ると、

「随分探しましたわ」

と言って、それと同時に、鮎太の方へ身を寄せて来た。

鮎太は、その女の態度から親しさ以外のものは感じなかった。

鮎太は気付くと女の躰を抱いていた。女の体臭が春の生暖い夜気の中に解けていた。下から首へかけられた女の手で、鮎太は顔を下へ向けた。女の唇が頬に触れた。次の瞬間、鮎太は唇を女のそれに捺《お》していた。

鮎太は女を抱えたまま横に倒れた。線路から半間程離れている丘陵の裾であった。柔かい雑草が鮎太の全身に感じられた。

鮎太は女の躰を抱いている手に力をこめて行った。女の口から小さい言葉が洩《も》れたが、鮎太にははっきりと聞き取れなかった。

近くでむせっぽい花の匂《にお》いがしていた。鮎太にとっては女の躰というものは初めての経験だった。長い間彼の思念にまといついていたような、粘着性の黒いどろどろしたものではなかった。鮎太はどうして自分がこのような事になったか知らなかった。しかし、すべては極く自然に、彼と相手の女との間に持ち上がったもののようであった。大きい花束がいきなり二人の間に置かれ、いっしょにそれにむせて行った感じであった。

烈《はげ》しい列車の轟音《ごうおん》で、鮎太は起ち上がった。女も立ち上がったようだった。鮎太は自分が女と反対の方向へ走るのを感じた。レールの上を横切った。線路際《ぎわ》の石ころが二つ三つ、彼の足に蹴飛《けと》ばされて、下へ落ちて行った。からからと音を立ててどこまでも落ちて行く、そんな落ち方であった。

鮎太は前へのめるように斜面を跳んだ。崖の中途の平坦な地面に鮎太は身を伏せた。

列車の機関車の赤い火が彼の頭上を物凄《ものすご》い勢いで突走って行った。そして貨車の列が長くそれに続いた。

鮎太は貨車が走り去ってからレールの堤へと這《は》い上がって行った。女の姿はどこにもなかった。

女の姿がないと知った時、鮎太は自分が先刻レールを横切った時蹴飛ばした石ころが、からからとどこまでも音を立てて転げて行ったのを思い出した。

すると、転げて行った石ころが、何か面でも転げて行くようなそんな転げ方であった事を憶《おも》い出した。

狐《きつね》の面！

鮎太はそう思った時、初めて不気味なものを感じて駈《か》け出していた。レールを再び横切り、隧道の上へよじ上ると、熊笹の生えている斜面を尾根の方へ走った。

鮎太が春さんの家の中庭へ来てみると、春さんとカメラマンの二人は、将棋の盤を囲んでいた。その姿が鮎太の眼にはひどく明るく見えた。

鮎太は二人には声をかけないで、縁側に腰を降ろしたまま、中庭の植込みの方へ視線を向けていた。

走って来た息切れがまだ続いていた。

鮎太は自分の身に何が起ったか、いまの事件に正確な判断を下すことはできなかった。季節から言って、盆踊りなどの行われている筈はなかった。ただ何事か、容易ならぬことが、殆ど信じられぬ速度で、しかも極めて自然に起ったことだけは明らかであった。

鮎太は誰にもその事を語らなかった。春さんの家へ一泊して翌日二人は大阪へ帰った。その日の午後、カメラマンは鮎太のところへやって来て、

「現像してみたら出ませんよ」

と、幾らか声を低くして言った。

「出ないって!?」

「本当に出ないんです。なんにも出やあしない」

若いカメラマンの顔は幾分不気味そうであった。

「写真が出ないとなると、記事にはならんな」

「そう思うんですが、どうもねえ」

鮎太はうんざりした。遠路出張して行って一行の記事にもならんということは、いかにしてもだらしのない話であった。

結局、春の狐火の記事は載らなかった。
四、五日してから鮎太は聞いたのであるが、若いカメラマンは「コンちゃん」という綽名《あだな》を他のカメラマンたちから奉《たてまつ》られていた。
しかし、春の狐火事件は、梶鮎太にとっては、生涯にとっての大きい事件であった。

鮎太は、あの晩の女が、一体人間であるか狐であるか、人間とすれば一体どこの誰であるか、全然判《わか》らず、得体の知れぬ謎《なぞ》に包まれたままであったが、それとは別にこの事件に依《よ》って、鮎太は長い間彼が持ち続けて来た佐分利信子の亡霊を振り落すことができたのであった。

憑《つ》きものが落ちるという言葉があるが、全くそんな風に、鮎太の心から、佐分利信子は落ちたのであった。

鮎太は自分が初めて他の若者たちと同様に自由な天地に立つことができたのを感じた。戦争でさえ落すことのできなかったものが、鮎太は女を知るという一事に依って、簡単に自分から払い落すことができたのであった。

佐分利信子は鮎太にとっては、いまや自分を長年月夢中にさせた過去の女であるに過ぎなかった。

春さんが軽い脳溢血《のういっけつ》で倒れたのは「春の狐火」事件から一年ほど経《た》ってからである。

鮎太は春さんのそうしたことは聞いたが、仕事が忙しくて見舞にも行けなかった。

鮎太が一年振りで、中国山脈の山懐にある春さんの家を再び訪ねて行ったのは、春さんが臥床《がしょう》してから一カ月程経ってからであった。

春さんは手足が不自由なばかりでなく、口も不自由になっていた。言うことがはっきり聞きとれなかった。

清香は去年の秋、近村の物持ちの長男のところへ嫁いで行ったということだったが、兄が発病したので、身の廻りの世話をするために戻って来ていた。

「いいところへお嫁に行ってよかったですね」

鮎太がいうと、

「食べるのが困らんだけですの。お百姓なんて、たいしていいことありませんわ。やはり農家のお嫁さんは農家からでないと——」

清香は言った。その口振りでは、たいして嫌でもなさそうであったが、格別満足している風でもなかった。清香はいつまでも実家にいるわけにも行かないので、兄の世話をする人が見付かり次第、婚家先きへ帰るということであった。

「一度お遊びに来て下さい。私の村でも狐火が出ますのよ。こんどこそ写真が撮れますわ」

それから、

「お逃げになるの、お早いですわ」

と言って、くっくっと、鮎太の眼を意味ありげに見て笑った。

「逃げるって！」

「汽車でびっくりして——」

鮎太ははっとして、清香の顔を思わず見詰めた。やっぱりそうだったかと思った。

「貴女《あなた》は逃げなかったのですか」

「いいえ、わたしは反対の方へ走りましたの。御一緒の方向へ逃げていたら——。よくそんなこと考えます。でも、ああいう場合は、神さまのお指図ですもの、仕方ありませんわ」

それだけで、清香はもうあの晩のことには触れなかった。鮎太も触れなかった。

春さんは、それから三カ月病んで他界した。鮎太は春さんの死亡の記事を、地方支局から廻《まわ》って来たものに丁寧に筆を加えて何行か増やして載せた。

勝敗

R新聞社の社会部で、遊軍記者として活躍していた梶鮎太がR新聞の競争紙であるL新聞社の、やはり同じ社会部の遊軍記者である左山町介と初めて顔を合わせたのは、比叡山延暦寺《ひえいざんえんりゃくじ》で敵国降伏の採燈護摩《さいとうごま》が焚《た》かれた夜であった。

日支事変と言うものが、にっちもさっちも行かぬ泥沼へ足を踏み入れ、漸《ようや》くそのことが、国民の誰にも朧《おぼ》ろ気ながら判《わか》り始めた頃で、戦争指導者たちの言辞や毎日の新聞の論調には、長期戦とか百年戦争とか言う言葉が目立って使用され始めていた。

叡山の山頂で薪《まき》を積み上げて、それに火を点《つ》け、戦争の勝利を祈念する採燈護摩の祈禱《きとう》は、天台宗に於《おい》ても、何十年とか何百年振りとかの大々的なものだと言うことであった。

鮎太は、その日の午後京都支局に立ち寄り、記事や写真を大阪本社へ送る手筈《てはず》を整え、写真部員と一緒に、夕方から叡山に登った。

叡電で八瀬《やせ》まで行き、八瀬からケーブルで四明岳《しめいだけ》へ向かった。叡電もケーブルも、その夜の珍しい行事を見ようとする見物の登山者たちでいっぱいだった。

ケーブルは殆《ほとん》ど休みなしに、日頃の何倍かの回数で山頂と麓《ふもと》を往復していたが、それでも後から後から詰めかける群衆を到底捌《さば》き得ようとは思われなかった。

初夏の夕暮であった。四明岳から根本中堂《こんぽんちゅうどう》まで、鮎太は、ケーブルの中で一緒になった若い僧侶《そうりょ》と話をしながら歩いた。採燈護摩という祈禱が如何《いか》なるものか、鮎太は全くそれに就いての知識の持ち合わせがなかったので、僧侶にその事を訊《き》きながら歩いた。

護摩と言うものは火を焚いて仏に祈願する密教修法の一種で、修験道の当山派では柴燈と書き、本山派では採燈と書く、そんな事をその僧侶は話してくれた。

「要するに、山中の薪を集めて、不動明王を本尊として護摩法を修するわけで、祈願の効果はともかくとして、国民精神を昂揚《こうよう》すると言う意味では、今日、やはり一つの意義はありましょうね」

長身の若い僧侶は、そんな言い方をした。

山巓《さんてん》に立ったが琵琶湖《びわこ》は見えなかった。夕暮のせいもあったが、曇っていた。

を潰《つぶ》した。

根本中堂の寺務所で、鮎太は京都の支局へ記事を送る電話の交渉をし、そこで時間

定刻の八時近くになると、大阪や京都の各新聞社の記者たちが顔を揃《そろ》え、寺務所は急に賑《にぎ》やかになった。鮎太の顔見知りの記者たちも何人かいた。

薪が焚かれる場所は根本中堂から一町程離れている四明岳の山頂であった。準備が整わないので、少しおくれると言うことだった。

記者たちは、煙草《たばこ》を喫《の》みながら寺務所でごろごろしていたが、全国に中継放送するという放送局の人たちだけが、忙しそうに動き廻《まわ》っていた。

「L社はどうしたんだ。来ていないじゃないか」

誰かのそんな声で気付いたのだが、成程、L社の記者の姿は見えなかった。

「ケーブルに乗れなくて、歩いて来るんじゃないかな」

その言葉で、そこに居合わせた者はみんな笑った。商売敵だけに、L社の記者の不参はいかなる理由によれ、鮎太にも痛快でないことはなかった。

一時間おくれて、九時から導師を初め多勢の僧侶たちが山頂に登って行った。山巓近いゆるやかな斜面の一角に小山のように積み上げられた薪に火が点けられたのは更にそれから二十分程経《た》ってからである。火が点けられると同時に、鮎太はそこを離れ、

暗い道を半ば駈《か》けながら寺務所へ帰った。原稿を書くのに、どんなに早く見ても十分や十五分はかかる。しかも原稿は京都支局を通じ、さらにそこから大阪へ電話で送らなければならなかったので、締切時刻に多少の余裕はみておきたかった。

八時半の予約電話を取っていたが、行事の時刻がおくれていたので、それは役に立たなかった。寺務所に飛び込むと、鮎太は直《す》ぐ原稿を書き終える時刻を見計らって、電話の予約をし、誰もいないがらんとした寺務所の空いている机に向かった。

鉛筆を執り上げると同時だった。扉が開いて、小柄の色の白い鮎太と同じ二十七、八の若い男が顔を出した。

「護摩の会場はどこです」

彼はそんな訊き方をした。鮎太がそこへ行く道を簡単に教えると、彼はちょっと考えている風だったが、

「要するに薪を積み上げて火を点けるだけのことですな」

と言った。

「そうです」

「じゃあ、僕はやめた」

それから暫《しば》らく寺務所の窓から外を覗《のぞ》いていたが、

「ここからでは見えんな」

一人言を言って、窓から離れると、煙草に火を点け、落着いた態度で京都へ電話を申込んだ。

彼の電話は五分程で出た。

彼は受話器を取る前に、鮎太に声をかけた。

「何時に始まりました？」

「九時です」

「導師は？」

導師の名前を言おうとすると、

「いいです。書いてある」

そう言う彼の視線を辿《たど》って部屋の隅に眼を遣《や》ると、そこには、成程、今夜の行事に参列する主な僧侶の名とその受持ちの役が、大きく紙に書かれて貼《は》られてあった。

彼は受話器を取り上げると、

「L社の京都支局ですね。こちらは左山です。これから記事をおくります」

と、はっきりした口調で言った。鮎太が十行程記事を書いたばかりの時だった。左山町介というのはこの男かと、鮎太は改めて彼の方を見た。

一カ月程前L社に左山と言う記者が東京から転勤して来たと言うことは聞き知っていたが、会うのは初めてであった。しかし彼の筆になる記事は幾つか読んでいた。文化関係の記事の、少し大きいものは、殆ど彼の手になっているらしく、彼が来る前にはなかった生彩が、最近のL社の社会面のそうした記事には溢《あふ》れていた。

「左山と言う奴《やつ》は相当な奴らしいな」

そんな声が、鮎太の周囲でも、何回か囁《ささや》かれていた。しかし、記事の担当部門がかち合っているだけに、鮎太が一番この男の存在を意識していた。剃刀《かみそり》のような冴《さ》えが、どんな記事の取扱いにも現われていた。

鮎太は左山町介が、一見するとまだ学生と言っても通りそうな生白い若僧であることが何よりも意外だった。唇が少年のように赤いことも、手指の華奢《きゃしゃ》なことも意外であった。

「天台宗総本山延暦寺に於て行われる敵国降伏を祈念する歴史的な採燈護摩を見ようと、記者はいま四明岳山頂に立っている。幸い初夏の夜空は定刻八時に近い頃から、一面に隈《くま》なく澄み渡り、左手遥《はる》か下には琵琶湖の水面がにぶく光って見え、右手には京都の町の灯が冷たく瞬《またた》いている」

ここで左山町介は一息入れて、煙草を吸い込むと、

「いいですか。いまのは書き出し、これから本文に入りますよ。——この日昭和×年×月×日、京都市比叡山延暦寺では」

彼は時々口を噤《つぐ》んでは煙草を吸った。そして煙草を吐き出すと、彼の口からは何行分かの文章が滑り出した。必要なことは抜目なく全部入れられてあり、聞いていて小憎らしかった。

鮎太は嫌な奴だなと思ったが敵《かな》わないものを感じた。左山が電話をかけているのを横から見ていると、いかにも頭脳がその機能の全部を上げて、この記事のために活動し、そこに整頓《せいとん》され並べられたものが一方の隅から順々に手際《てぎわ》よく引張り出されて、それが口を通して伝達されている感じであった。

新聞記者である以上誰でも予定記事を書くことはあるが、予定記事の持っている荒さもちぐはぐさもなかった。

彼の口から出たことは殆ど事実であった。見物人が熱くて居たたまらなくなったことも、読経《どきょう》している僧侶たちの顔の一つ一つが、焔《ほのお》の光で本尊の不動明王のように見えたことも、何一つ嘘《うそ》だとは言えなかった。事実、それはその通りであった。左山町介の口から出た総《すべ》ての事は、現場に於て、梶鮎太の眼を捉《とら》えたものであった。

「四明山頂を焼く紅蓮《ぐれん》の焔、紫の煙は、重慶《じゅうけい》へ重慶へと流れて行く」

多少気障《きざ》ではあったが、そんな文章で、左山町介は、彼の長い口述の記事を結んだ。電話口を離れると、彼は奥の方へ行って、老婆《ろうば》に茶を運ばせて来て、それをゆっくりと飲んだ。

その頃になって、他紙の多勢の記者たちが固まってやって来て、寺務所は急に賑やかになった。梶鮎太の眼には、その時他紙の記者たちがみんな愚かに見えた。

左山町介は真先きに帰って行った。

鮎太はこの事があってから、間もなく、左山町介と言葉を交わすようになった。鮎太にとっては一番怖《おそ》ろしい競争相手であった。記事の上では抜いたり抜かれたりしていたが、しかし、これぞと言う大きな仕事になると、いつも鮎太は左山町介に敵わなかった。容赦なく、こっぴどく敲《たた》きつけられた。

左山町介は普通の新聞記者のタイプとは全く違っていた。これと言って親しい友達もないらしく、どこで見掛ける時も、常に一人であった。それが却《かえ》って彼を孤独というよりは、むしろ精悍《せいかん》に見せていた。

「どう、忙しい？」

町などで会うと、彼は親しげに近寄って来たが、その口調の親しさに似ず、眼はいつも鮎太を冷たく突き放していた。鮎太に対する時ばかりでなく、彼は他の誰に対しても、同じような眼付きをした。こうした点が、彼に友達というものが出来ない一番の大きい理由であったかも知れない。

左山町介の父は現役の海軍の将官だった。生活にはゆとりがあるらしく、常に身綺《みぎ》麗《れい》な恰好《かっこう》をしており、生来の冷酷さと、良家の子弟としての、育ちのよさとも、傲慢《ごうまん》とも言えるものを、やはり一種の美貌《びぼう》と言っていいその色白の顔は持っていた。

梶鮎太が、左山町介をはっきりと一人の仇敵《きゅうてき》として、事毎《ことごと》に彼と対立して行くようになったのは、叡山に採燈護摩が修せられたその年の秋からである。

京都の高名な日本画家掛川早苗が、官展から脱退するであろうと言う情報が東京から入った。それでなくてさえ毎年美術界の騒動は秋風と共にやって来るので、鮎太は九月になると丹念に京都の画家たちの間を廻っていた。

東京からの情報通り、掛川早苗の官展脱退がもし事実とすれば、勿論《もちろん》これは社会面の大きいニュースであった。しかし、何十年か終始画壇で孤立主義を採って来た掛川早苗の動静については、正確な知識は当の本人以外誰も持ち合わせていないと言ってよかった。

鮎太は何回か東山の宏大《こうだい》な掛川邸へ足を運んだが、勿論彼と会うことは出来なかっ

た。京都支局の若い美術記者から、

「掛川早苗とその門下の主だった画家二人が、今朝から京都のどこかで会っています。しかし、よほど慎重にやっているらしく、どうしてもその会合場所が判らんです」

こう言う電話を貰《もら》ったのは、十月初めの、時雨《しぐれ》模様の細雨が落ちている日の午後だった。

鮎太は直ぐ京都へ出掛けた。京都支局には立ち寄らないで、真直ぐに、東山の掛川早苗の家へ向かった。

そして掛川邸の見かけは質素に出来ている玄関の格子戸《こうしど》を開けた時、そこに先客があるのを知った。左山町介であった。

彼は玄関の三和土《たたき》の上に突立っていたが、鮎太の方を見ると、

「よう、早いな」

と言った。彼も今来たばかりらしかった。

「いないよ」

と鮎太が言うと、

「判っている。が、一応当ってみようじゃあないか」

そこへ鮎太の顔見知りの女中が出て来た。返事は決まっていた。

「お留守です」

「どこへいらしったか知りませんか」

左山が訊いた。

「全然行先きをおっしゃらずにお出掛けになりました」

「いつ頃？」

「午前中だと思いますが、よくは存じません」

「そう」

左山は他の事を考えている風で、うわの空で機械的な質問を繰返していたが、

「君、どうする？」

と、鮎太に言った。

「僕は、夜になれば帰宅するだろうと思うから、支局で時間を潰し、もういっぺん出直して来る」

「それで、会えるのか」

「会えんと思うな。でも仕方がない。やるだけはやってみる」

「辛《つら》い商売だな」

左山は皮肉な眼を鮎太に向けたが、

「俺もそうするかな」

と言った。

そして二人は揃って玄関を出たが、

「待て、俺はちょっと支局へ電話をかける」

左山町介はそう言うと、いったん出た玄関の格子戸を再び開けて、

「女中さん、電話貸して下さいよ」

と、奥に叫んだ。都会ずれのした学生でも使いそうな甘ったるい声だった。

女中が出て来ると、彼はさっさと靴を脱ぎ廊下の電話口の方へ上がって行った。

鮎太は女中と喋《しゃべ》りながら、左山町介を待っていた。

「お待ちどう」

左山は帰って来ると、靴を履きながら鮎太の顔を見た。鮎太は何となく左山町介のその時の眼を嫌だと思った。親しさの全くない冷たい眼だった。

門を出たところで、

「君、どうする？」

と左山は、先刻言ったと同じことを言った。

「支局へ行く」

「じゃあ、自由にしてくれ。俺は行かなければならぬところがある」

「どっちの方角へ行くんだ」

鮎太は訊《き》いた。電車の乗り場は半町足らずの所にあった。その頃、タクシーの数は急激に減っていたので大抵の場合、電車を頼らねばならなかった。

「ここで待っている。急ぐので自動車を招《よ》んだ」

「何だ、いまの電話は自動車を招んだのか」

「そう」

「どこか知らぬが、途中まで乗せて行ってくれ」

「駄目だな」

左山はぴしゃりと言った。冗談かと思ったら、左山町介の顔は真顔だった。

「気の毒だが、他社の者は乗せるわけには行かぬ。なぜ乗せるわけに行かないかは、明日判《わか》るだろう」

ここで左山町介は、少しも可笑《おか》しくないのに笑うといった奇妙な残酷な笑い方をした。しかし鮎太はまだ冗談かと思っていた。

自動車が来て、門の前に停まると、左山はそれに乗り込み、ばたんと扉を閉め、鮎太の方は見向きもしないで、真直ぐに顔を向けたまま、自動車を出させた。

鮎太はそんな左山町介に烈《はげ》しい怒りを感じた。そして細雨に濡《ぬ》れながら道を電車の停留所の方に歩んで行く途中、左山町介の行為を一人の変質者のそれとして解釈した。それ以外理解に苦しむものであった。

しかし、その翌日、鮎太は寝床で朝刊を開けて、やられたと思った。

L紙には、掛川早苗とその門下生である二人の画家が会食している写真が大きく載っていた。場所は嵯峨《さが》の、渡月橋の傍の料亭である。

掛川早苗の談話まで載っている。官展脱退など全然考えていないと彼は語っているが、しかし本文の記事は、その動静を注目されている人として、掛川早苗を取り扱っていた。

社会面記事としては、これだけでも充分ニュースバリューを持ったものであった。

やられた事はやられた事として、鮎太には左山町介がどうして掛川早苗の居場所を突き留めたか、それが理解できなかった。

それから、四、五日してから、鮎太は美術館の廊下でばったりと左山町介と会った。

「この間はどうも——」

と左山は言った。口惜《くや》しかったが仕方がなかった。

「きれいにやられたな」

鮎太が言うと、

「勝ったり敗《ま》けたり、お互いに大変だな」

左山は言ったが、その言葉は明らかに儀礼的なもので、その顔は、例の鮎太などを遠くに突き放した傲慢なものであった。

一カ月程して、鮎太が掛川早苗の門下生の画家から聞いたところに依《よ》ると、左山町介は掛川邸の電話口で、そこの壁に張られてあった招びつけの自動車屋の電話番号を知り、その電話で、自動車を招んだものらしかった。

「急用が出来たので、直《す》ぐ、今朝先生を連れて行ったところへやってくれ」

自動車に乗り込んだ左山は、これだけ自動車の運転手に命じればよかったのである。左山町介の事だから、あるいは途中で支局に立ち寄り、その自動車にカメラマンも載せて行ったかも知れなかった。

その左山町介に鮎太は憎しみに近い感情を抱きながらも、他の社の記者たちよりは、一緒に喋ったり、お茶を飲んだりする機会を多く持った。

顔を見合わせると、お互いにどちらからともなく近寄って行った。

「どう？」

鮎太が言うと、

「まあまあだね」

左山町介は言ったが、そう言う彼の肉の薄い胸の中には、鮎太に向かって刃《やいば》が匿《かく》されている感じだった。そしてその刃はいつ閃《ひらめ》くかも知れなかった。

と言って、鮎太は左山町介を尊敬もしていなければ、恐れてもいなかった。自分などの敵わないものを相手に感じながらも、それが一体何だと言うのだ！　そう言う居《い》坐《すわ》った気持があった。

いつか自分の方が勝つだろう、いつか再び起てないように、こいつを、こっぴどくやっつけて仕舞うことがあるだろう。

鮎太はそんな気持で、いつも彼と対《む》かい合って珈琲《コーヒー》を飲んだ。

左山町介の身辺に起った変な事件に、鮎太が巻き込まれたのは彼と知り合ってから一年近く経《た》ってからである。

生暖い風の吹いている四月の朝のことである。下宿の三本の小さい桜は、咲き盛ったと思ったらそれは一日だけのことで、夜来の風にきれいに吹き飛ばされてしまっていた。

鮎太は全く未知の若い女性の訪問を受けた。女学校を出たばかりらしい十八、九の娘であった。

「左山さんって方、御存じでしょうか」

と彼女は玄関先きで言った。

「知っています」

「では、直ぐ来て戴《いただ》けませんか。肺炎になって家に寝ています。父も、母も、私も全然知らないんです。昨夜、夜中に、突然姉の部屋で唸《うな》り出したので、みんなびっくりして仕舞いました」

「姉さんの部屋って!? じゃあ、姉さんは知っているんでしょう」

「——だろうと思います。が、姉は驚いたのかどうしたのか、今朝早くから、どこかへ行って仕舞って、これはこれで大騒ぎしています」

「なるほど」

「困りますわ」

「そりゃあ、困るでしょう」

「その病人さんに、どこへ知らせたらいいか訊いてみましたら、貴方《あなた》の名を言いましたので、新聞社で住所を聞いて、直ぐここをお訪ねしたわけです」

「ともかく、行ってみましょう」

鮎太は義子というその娘に連れられて、宝塚線に沿った彼女の家へ出掛けて行った。二十坪程の前庭を持ち、生垣で屋敷を囲んだ中流級の文化住宅であった。左山町介は、その家の南向きの四畳半で、女夜具の中から顔だけ出して、高熱のために血走っている眼を天井に向けていた。部屋へ入ると直ぐ判るほど息づかいが荒かった。

左山町介は鮎太を見ると、いきなり、

「すまないが、ズルフォンアミド剤を買って来てくれ、それさえ飲めばいいんだ。それを飲ませてくれ」

と言った。

「どこか知らぬが、大きい薬屋にはある筈《はず》だ。町医者にかかるよりその方が確かなんだ。ついこの間売り出したばかりの薬だ」

それだけ言うと、左山は絶対安静に躰《からだ》を保つ必要を知っているらしく、あとは一言も喋らず、身動きもしなかった。

肺炎の特効薬の知識がまだ一般化されていない時で、それをいち早く身につけているところは、いかにも左山らしかった。

鮎太は彼の言うように、その薬を購入して来て、彼に与えた。

「これで助かる！」

彼はそれを飲んだ時言って、あとはまた何を話しかけても喋らなかった。

突然未知の病人に姉娘の部屋からとび出された佐伯《さえき》というその家は、農林省の元官吏で恩給生活をしている当主と、その夫人と、姉娘、妹娘の四人家族であった。

「驚きましたよ。いきなり病人の唸り声が娘の部屋から聞えて来たんですから——。行ってみると娘の蒲団《ふとん》の中に、見たことも聞いたこともない左山さんが寝て唸っている。娘が濡れ手拭《てぬぐ》いをしぼっている」

その可笑しさのある言い方の中に、当主の人の好《よ》さがまる出しになっていた。似た者夫婦で、佐伯夫人も見るからに好人物らしかった。

「上のお嬢さんはどうしたんです」

「一時、どこかへ行ってしまいましたが、先刻戻って来ました。暫《しばら》く何も訊かずにそっとしておこうと思っています」

鮎太は、やはり花をすっかり落してしまった中庭の小さい桜を見守りながら、当り障《さわ》りのない話題を探すようにしては、佐伯夫妻と変梃《へんてこ》な時間を過した。

鮎太は、左山が自分の社の同僚を招ばないでわざわざ他社の鮎太を招んだ理由が解《わか》っていた。事件がどう考えても感服すべき性質のものではなかったので、左山も余程考えての末の事であろうと思われた。

二日目に、左山はずっと楽になっていた。

「すまないな」

彼は詫《わ》びて、

「災難なんだ。部屋へ入ったら途端に胸が苦しくなったんだ」

「どこから入った？」

「窓からだ。他に入り口がないからな」

「見上げた事だな」

「紅茶を飲みに来たんだ」

「俺に弁解する必要はない。起きられるようになったら、ここの当主夫妻にせいぜい弁解することだな」

鮎太は、少し邪慳《じやけん》に言った。実際、左山ともあろう者が、どうしてかかる愚劣な行為をしでかしたかと思った。

三日目に、鮎太は姉娘の英子に初めて会った。事件に仰天して、いきなり姿を消してしまうくらいだから、まだ妹と同様、少女臭さの抜けていない二十《はたち》ぐらいの娘であった。

どこで知り合ったか知らなかったが、英子は左山とは一年程前から、お茶を喫《の》んだり映画に行ったりする程度の交際はしていたらしく、

「左山さんが私の部屋に来たのは初めてですの。お紅茶御馳走《ごちそう》して上げると言ったら、来ると言うので、窓を開けておいたんです。入って来るなり病気になるんですもの、困っちゃったわ」

顔は温和《おとな》しかったが、性格は左山を窓から入れるくらいだからお俠《きゃ》んなところがあった。

鮎太は五、六回佐伯家を訪問したが、左山の病状が心配でなくなると、あとは顔を出さなかった。

左山は結局一カ月程佐伯家の厄介になり、終りの方の何日かは、そこから社へ通っていた。

「随分、だらしない事で厄介かけたな」

左山は佐伯家を引き上げて来た日に、R社に鮎太を訪ねて来て言った。病床にある時、一時消えていた刃のようなものが、鮎太には、またその日の左山町介からは感じられた。

「しばらく遊んでしまったから、もりもり仕事をするつもりだ」

左山は礼に来たと言うより、宣戦布告にでも来た恰好《かっこう》だった。

実際、その月、鮎太は法隆寺の壁画保存問題の記事で、大きく左山町介に抜かれた。

その抜かれた日、社に佐伯英子の訪問を受けた。鮎太は英子を社の近くの喫茶店へ連れて行った。

「左山さんと婚約だけはしておきたいんですが、左山さんは嫌だって仰言《おっしゃ》るんですの、困るわ、わたし、父や母の手前もありますし」

英子の言うことに一応無理はなかった。

「今日母が結婚ができないと困ると言うんで、困りはしない、毒を飲んでやると言ってやりました」

その話を聞いて、鮎太はこれは不可《い》けないと思った。平気で毒でも飲みそうな娘であった。

鮎太は翌日電話で左山と打ち合わせをして、退社後梅田のビアホールで、彼と会った。

鮎太は英子の話をして、左山の態度を難詰した。

「仕事の仇討《あだう》ちをしては不可ん」

左山が言った時、鮎太は怒りがこみ上げて来るのを感じた。声がぶるぶると震えた。

「仕事の仇討ちとは何だ。他家の娘の部屋へ忍びこみやがって」

「忍びこみはしない。不可ないと言えば、窓から入ったことぐらいだ。しかも、俺は紅茶を御馳走になりに行ったんだ」

「そんな事を信じると思うか」

「信じられぬと言うなら仕方がないな。人間信じなくてもいい権利があるだろうからな」

左山の言葉は落着いていた。

「あの娘は毒を飲むかも知れない」

鮎太が言うと、

「毒!?」

さすがに、左山はこの言葉にはぎょっとしたらしく、

「それは不可ん。何とか、なだめて貰《もら》わぬと困るな」

「この俺に、なだめろと言うのか、まあ、ごめんだな」

鮎太が言うと、左山は黙って考え込んでしまった。佐伯英子が毒を飲むかも知れないと言ったことが、左山町介には応《こた》えたらしかった。

「君に仲に立って貰って、うまく収めないと、この問題は厄介だな」

「そう言う役は辞退する」

「どうしても嫌か？」

「嫌だな」

左山町介は冷たい視線を鮎太に投げると、意味不分明な笑いを残して、ついと席を立って行ってしまった。

左山町介が、佐伯英子と結婚式を挙げたのはその年の秋である。

長い間鮎太は左山と会わないでいたが、突然結婚式の披露宴の招待を受けた。二人が結婚の運びになる経緯については何ら知るところはなかったが、鮎太は、自分もまた、左山と英子の結婚のどこかに、小さいながらも、一役買っているのではないかと思った。

その左山の結婚の披露宴の席上で、鮎太は全く思いがけない人物と卓を同じくした。加島浜子である。

鮎太は小学校時代を郷里の伊豆半島の山奥の小さい村で過したが、そこの温泉旅館に大学生の兄と一緒に来ていた十一、二歳の頃の浜子を見知っていた。

それからも一度、鮎太は中学生の頃、見違える程大人びた女学生の浜子に会っていた。会ったのは一回だけであったが、少年時代の彼を通じて、もし恋情に似たものがあるとすれば、それは加島浜子に対するものであった。

左山町介の結婚披露宴は大阪の町の真ん中のホテルで開かれた。戦争中にしては少し派手すぎると思われるもので、百人近い人たちが集っていた。

鮎太には、どういうものか、左山の同僚たちの席から一人だけ離れた、メイン・テーブルに近い窓際《まどぎわ》の席が与えられてあった。左山町介は自分の結婚に対する鮎太の役割を、彼らしい評価の仕方で計算していたかも知れなかった。

鮎太は席に着くと、直ぐ、自分の前に坐っている二十四、五の令嬢が、加島浜子であることに気付いた。十年以上の歳月の隔たりはあったが、浜子の少し眼の吊《つ》り加減な特徴のある容貌《ようぼう》は直ぐ判《わか》った。

少女時代は病弱な神経質なところが目立っていたが、いまの彼女に於《おい》ては、そうしたものが、彼女の容貌を、エクセントリックなきついものに見せていた。しかし、やはり美しいと言っていい顔立ちだった。

文字通りの奇遇であった。しかしその奇遇の驚きは鮎太だけのもので、彼女は全然鮎太に気付いていなかった。考えてみれば、幼少の頃知り合ったと言っても、小学生の時一度、中学生の時一度、僅《わず》かに二度、しかも極く短い時間会っているに過ぎなかった。記憶していろと言う方が、無理な注文であった。

鮎太は名刺も出さなければ、自己紹介もしなかった。

浜子はメイン・テーブルの左山町介の方へ、少し躰を捻《ね》じ曲げるようにして坐っていた。そして誰かがテーブル・スピーチをすると、その度に、白い華奢《きゃしゃ》な手で拍手した。

ユーモラスな話が出ると、浜子は周囲に構わず笑ったが、その笑い方が、なぜか鮎太には異常に感じられた。幾ら停めようとしても、笑いが喉《のど》から勝手に飛び出して来るような笑い方で、そのくせ少しも笑いと言えるような明るいものではなかった。

加島浜子が脳貧血を起して、椅子《いす》から床へ崩れるように倒れたのは、宴席が半ばを過ぎてからであった。

給仕は直《す》ぐやって来て、彼女を助け起し、会場から連れ出して行ったので、この小さい事件は、その周囲の極く少数の人にしか、知られないですんだが、鮎太は彼女の前に席を取っていた関係で、ボーイがやって来るまで、床にしゃがむようにして彼女を支えてやっていた。

「いいんですの、何でもないんですの」

浜子は眼をつむったまま、そう言った。

宴会が終ってから、ロビーの窓際に立っている鮎太のところへ、モーニングの胸に薔薇《ばら》の花をつけた左山町介が近づいて来た。

「先刻、すまなかったな」

彼は言って、

「俺の遠縁の家の娘なんだ」

それから何か話をしたそうにしていたが、彼は直ぐ二、三人の親戚《しんせき》の人らしい一団に拉《らっ》し去られて行った。

その左山町介の、彼にしては珍しい落着きのなさが、鮎太には気になった。

左山は結婚すると間もなく、東京へ転勤になって行った。鮎太は、その後親しく左山と話をする機会を持たないままで、彼を東京に送った。

東京へ転勤して行ってからの左山が、特派員になって南方へ行ったという噂《うわさ》は耳にしたが、鮎太は彼がどこへ行ったか詳しいことは知らなかった。ただ、彼が他の特派員とは違った取材の仕方で、あっというような仕事をするのではないかと思った。

左山の事を思うと、鮎太も彼と一緒のところで働きたい気がした。敗《ま》け続けに敗けて、逃げられてしまったような敗北感が鮎太の心には残っており、左山の事を思う度に、それが腹立たしかった。鮎太は特派員として南方へ行くことを、社の幹部に何回も希望したが、その気持の底には、いつも仕事のライバルとしての左山町介が坐《すわ》っているようであった。

鮎太の南方行きの辞令の出る直前、運悪く鮎太は再度の召集令状を受け取った。名古屋の野砲連隊に入隊し、召集を受けた日から十日目には、彼はもう大陸の土を踏んでいた。この前の召集の時も北支であったが、こんどもまた北支だった。

鮎太は山西省《さんせいしょう》で兵隊として一年間を送った。派手な戦闘はなかったが、絶えず山岳地帯を転々として、敵の小部隊と交戦した。

鮎太は山西における野戦の生活中、一度部隊の命令で小さい任務を持って内地へ帰った。山西省から石家荘《せっかそう》へ出て、そこから京漢《けいかん》線で保定《ほてい》を経て天津《てんしん》に向かった。その時、石家荘から天津へ向かう貨物列車の中で、鮎太は全く偶然に左山町介と遇《あ》ったのであった。

十一月の終りで、北支にその年最初の降雪のあった夜であった。鮎太が石家荘から乗り込んだ無蓋《むがい》貨車には、前線からの傷病兵が充満しており、鮎太は自分の割り込む余地を取るのに苦労した程であった。

「寒くてやりきれん。早く北京《ペキン》へ行って、ホテルの風呂《ふろ》にはいりたいな」

兵隊の耳には、ひどく傲慢《ごうまん》にも不遜《ふそん》にも聞える言葉が鮎太の直ぐ横の闇《やみ》の中で聞えた。

鮎太は、こんな贅沢《ぜいたく》なことを言う奴《やつ》は軍属か新聞記者に違いないと思った。と、果して、直ぐ傍の闇を占めている何人かの連中の会話の中に、R新聞を初め、幾つかの新聞社の名が出てきた。鮎太は堪《た》まらなく懐《なつか》しかった。

「どこの新聞社です」

鮎太が声をかけると、

「L新聞ですよ」

その返事が鮎太の耳に届いた時、彼は、

「左山じゃあないのか」

と叫んでいた。暗くて顔は見えなかったが、左山町介に違いなかった。

鮎太は左山の手が自分の方へ伸びて、「よう」と、自分の手を握って大きく振った時、涙がぽろぽろと溢《こぼ》れ落ちるのを停めることはできなかった。親や兄妹に会っても、こうした気持にはなれぬだろうと思われる程、鮎太は感情が昂《たか》ぶった。

左山は誰かに席を替って貰って、鮎太の隣にやって来た。新聞を見ていないので知らなかったが、左山町介は、大陸を自由に飛び廻《まわ》って、特派員としても、最も派手な仕事をしているらしかった。彼は南方の幾つかの作戦をも知っていたし、北辺の作戦にも従軍していた。

「運がいいんだな、君は。仕事では敵《かな》わないと思ったが、運でも敵わないな」

素直に鮎太は言った。

「仕事では俺の方が敵わない。運は俺の方がいいかな。一度も赤紙を貰ってないからな」

と左山は言った。そして、

「仕事では敵わなかったな」

また、左山は言った。

「皮肉を言うな」

「皮肉ではない。実際、俺はそう思っていたんだ。これでもか、これでもかと、やっつけたつもりなんだが、いつも、どうも勝ったような気がしなかった。不思議だよ、君という人間は」

左山は言ったが、その言葉には、彼に曾《かつ》て感じたことのないある素直さがあった。

鮎太にとっては、意外な左山の言分だったが、あるいは彼のような特殊な才能で記事を取って行くタイプの記者には、鮎太のような地味な行き方が苦手であるかも知れなかった。しかし、いずれにせよ、左山町介の鮎太に対するそうした気持は、彼自身の持っている特殊な才能や人柄から根ざして来るものに違いなかった。その時鮎太も疲れていたし、左山も疲れているようだった。貨車は雪のためにダイヤでも混乱しているのか、どの駅でも長く停車した。二人はいつか外套《がいとう》に身を包んだまま、背を貨車の囲いにもたせたまま眠った。何度目かに鮎太が眼をさました時、左山は、ずっと前から眼を覚ましていたのか、

「何の理由もなく、俺たちは対立してきたな」

と、ぽつんと、それだけ言った。それがある実感を伴って、鮎太の心に沁《し》みて来た。

「加島浜子はどうしている？」

　鮎太は訊《き》いてみた。彼は鮎太がどうして彼女を知っているか驚いた風だったが、

「俺は、あの肺炎事件がないと、彼女の方と結婚していたかも知れないんだよ」

と言った。そして、疲れているためか、鮎太と加島浜子の関係については、ついに質問して来なかった。

　左山町介が南方へ行く途中、軍艦の甲板の上で、直撃弾を受けて、彼らしい戦死の仕方をしたのは、それから半年程経《た》ってからである。勿論《もちろん》、鮎太はそれを、内地へ帰還してから知った。左山町介の死は、不思議なほど長く鮎太の心に傷痕《きずあと》として残った。

一度は是が非でも勝ってやろうと思った相手が、この地上から消え去ってしまった淋《さび》しさであった。

鮎太は、彼が、左山町介と英子を結ばせることにある役割を勤めたことが、二人のために果してよかったか、どうか、その後何年かその疑いを払拭《ふっしょく》することはできなかった。

鮎太はその後、左山未亡人の英子にも、加島浜子にも会っていない。

星の植民地

明日は何ものかになろうというあすなろたちが、日本の都市という都市から全く姿を消してしまったのは、B29の爆撃が漸《ようや》く熾烈《しれつ》を極め出した終戦の年の冬頃からである。日本人の誰もがもう明日と言う日を信じなくなっていた。

新聞社にも、もう翌檜《あすなろう》は一人もいなかった。誰もがただ暗い戦争が終るのを待つだけの絶望的な毎日を送っていた。しかし、その戦争さえもいつ終るか判《わか》らず、永遠にそれは終ることのない業《ごう》のようなものに見えた。

梶鮎太は、戦争中に遅い結婚をして、おとなしいのと無口なだけが取柄の平凡な妻と二人の幼児を持っていた。

鮎太はぎりぎりまで疎開《そかい》ということを考えなかった。家族の者たちが疎開して別れ別れになることが、こうしたただならぬ戦乱の時代を生きのびるために、果していい処置かどうか判断がつかなかった。それぞれの上に、それぞれの異った運命が見舞うことを、鮎太は寧《むし》ろ怖《おそ》れる気持の方が強かった。

三月になって、四歳の男の子が、ラジオの警報を人並みに怖れ、その度に火のつくように泣き出すのを見て、初めてやはり疎開しなければ不可《い》けないかなと思った。四月に最初の大阪の爆撃があって北部一帯が焼野原になった。鮎太はその日勤先きの新聞社にいたが、爆撃が終ってから屋上に上がり、足許《あしもと》に何羽かの伝書鳩《でんしょばと》が羽を焦《こ》がして、惨《みじ》めな屍体《したい》をそこここに投げ出しているのを見て、やはり家族を疎開させようと言う気になった。

鮎太は大阪の最初の爆撃があってから半月目に、僅《わず》かな縁故を頼って、三人の家族を鳥取県南部の山村に置いて来た。

帰りの汽車の中で、鮎太は久しぶりで肩の重荷を降ろした吻《ほっ》とした気持になった。超満員の薄汚ない車室の中で、彼は眠り詰めに眠った。睡《ねむ》りは浅く短かったが、睡りに入る度に、疎開地の高原の白い雲と、雑木の梢《こずえ》を吹く風の音が、夢ともなく現実ともなく、彼の眼に浮かび耳に聞えた。非力な三つの小さい生命への愛情を、鮎太はこの時ほど烈《はげ》しく感じたことはなかった。鮎太が肩を敲《たた》かれて眼を覚ましたのは、汽車が兵庫県下の暮れなずんだ海浜を走っている時であった。高等学校時代同級だった犬塚山次が、学生の頃と全く変っていない表情で多勢の人の間にはさまれて立っていた。

「梶君か、やっぱりそうだな」

彼は極度に強い近眼鏡の奥からまるく大きい眼を光らせた。鮎太は犬塚山次が、京都の大学の医学部に入り、卒業してから専攻の医学とは少し違った彼らしい奇妙な研究に従事しているという噂《うわさ》は耳にしていたが、彼が何を研究し、何処《どこ》で如何《いか》なる生活をしているかは全く知らなかった。北陸の高等学校では三年間毎日顔を合わせていた間柄ではあったが、しかし口を交わしたことは余りなかった。

強度の近眼の上に、畸型《きけい》と見えるくらいの猫背で、いつも人から離れて、教室の隅に一人でぼんやりしているような存在だった。頭はよかったが、変人だった。

鮎太が家族を疎開させて来たと語ると、

「僕も疎開だ」

と、彼は煙草《たばこ》をやたらにふかしながら言った。煙草を喫《の》むところだけが、昔の彼とは違っていた。

「家族は？」

と、鮎太が家族のことを訊《き》くと、

「女房はないんだ、逃げられてね」

と言った。周囲で二、三人がくすくすと笑った。

「逃げられたって？」

鮎太が、取りなすように訊くと、

「本当に逃げられたんだ。薄情なものだよ」

その答えが大真面目《おおまじめ》だったので、また周囲の者は笑ったようだったが、こんどは声には出さなかった。

「じゃあ、君自身が疎開したのか」

「本だよ。本を焼くのはかなわんからね」

「医学の本？」

「医学書もあるが、主に現在研究していることに関するものだ」

「一体何を研究しているの？」

「入墨、腋臭《わきが》、それから支那《しな》の纏足《てんそく》——そうしたものだ」

「やはり医学に関係のあること？」

「医学と言ってもいいし、人類学と言ってもいい。そのどっちでもないと言っても通用する」

犬塚山次は、鮎太を煙《けむ》に巻くようなことを言った。こんな言い方も昔の彼の癖であった。

五分程話をすると、鮎太は昔の級友との間に話題が全くなくなったことを感じた。学究とでもいうのか、犬塚山次は空襲にも、食糧のことにも驚く程無関心で、それが非国民の印象をさえ人に与えかねなかった。

鮎太はいつかまた眠った。次に眼を覚ますと、汽車はもう長いこと、どこかの小駅に停まっているらしく、座席に腰を降ろしている人も、立っている人も、みな疲れきって、押し合い、へし合いしながら眼をつむっていた。

鮎太は犬塚山次の姿を探した。先刻まで彼は鮎太の傍に立っていたが、その時は、少し離れて通路に腰を降ろし、立っている人たちの足の間に小柄の姿を置いていた。

鮎太は声をかけないで、彼の方を暫《しばら》く見守っていた。そうしているうちに、鮎太は犬塚山次が横文字の書物とするめを重ねて、膝《ひざ》の上に置いて、微動だにしない姿勢で眠っているのを知った。その姿は少し異様だった。不逞《ふてい》にも見え、狂人じみても見えた。するめが半分ちぎられているところを見ると、彼は薄暗い電燈《でんとう》の下で、するめを囓《かじ》りながら、横文字の書物を拡《ひろ》げていたのかも知れなかった。

鮎太には全く犬塚山次という人間が、この時別者に見えた。戦争も、国の運命も、全く彼の頭の内部には坐《すわ》る席を与えられていないようであった。

その夜更《よふけ》、鮎太は犬塚山次と大阪駅の暗いホームで別れた。犬塚は山崎の農家の離れを借りて一人で住んでおり、大抵家に引きこもっているということであった。

「勤人ではないんだから、君などこそ、疎開すればいいじゃあないか」

鮎太が言うと、

「ところが、なかなか、そううまく行かないんだ。大学を離れると、研究に不便なんだ。第一、書物が読めん」

彼はそう言った。鮎太はそんなものかなと思った。

鮎太はそれから終戦までの最も暗い陰惨な三カ月程の間に、時々、犬塚山次のことを思い出した。そしてある時、京都の大学の医学部の教授に会ったので犬塚山次のことを話題に出してみた。すると、その教授は、

「頭はいい人ですが、研究が趣味的というか、どうも横道に入りましてね。あのままでは、学位を取るというわけにも行かないし、惜しい人ですが、ちょっと困り者ではないんですかな」

と言った。大学関係でも、犬塚山次は変人と目されているようであった。

しかし、その時、鮎太は、その教授が「もう研究どころではありませんよ」と言うのを聞きながら、犬塚山次の風貌《ふうぼう》を対蹠《たいしょ》的に清潔に眼に浮かべたものであった。彼こ

そ、戦争末期に於《おい》て、鮎太が発見したただ一人の翌檜であった。

終戦の詔勅が放送された日、鮎太は終戦の日の町の表情を記事にした。社会面の大半はそれで埋められた。町の表情と言っても、市街の大部分は焼野原と化していたので、そこらをうろついている人々の虚脱した姿や、会話を、そのまま記事にしたわけであった。

記事の取り扱いは全く鮎太にも判らなかった。明日の日本というものが判らない以上、どのような事をどのように書いていいものか見当はつかなかった。鮎太はただ客観的にそれを何十行かの文章に綴《つづ》った。

しかし、これは鮎太が何年か振りで書いた何の作為も主張も持たない記事らしい記事であった。何の飾りの前書きも要らなければ、必勝の信念という言葉も、国の御盾《みたて》という言葉も要らなかった。あるいは鮎太が新聞記者になってから書いた初めての、当然そうあるべき本来の新聞記事というものであったかも知れなかった。

鮎太は夕方新聞社の建物を出た。夏の陽はやっと落ちたばかりで、一望の廃墟《はいきょ》には、白っぽい夕明りが漂っていた。爆音の聞えない静けさが、むしろ不気味であった。

鮎太は真直《まっす》ぐに駅の方へは行かないで、煉瓦《れんが》や半焼けの木材が散乱し、鉄筋が折れ曲り、電線が到るところに榕樹《ようじゅ》のように垂れ下がっている桜橋から御堂筋《みどうすじ》へかけての一帯の廃墟を、斜めに横切って歩いて行った。

焼野の所々に土蔵だけが、ぽつんと焼け残って立っていた。

「梶さん！」

突然声をかけられて鮎太は立ち止まった。半焼けの土蔵の前である。その土蔵の窓から、熊井《くまい》源吉が真黒い頬髯《ほおひげ》を二、三寸伸ばした顔をぬうっと突き出した。

熊井源吉は新聞社へ時々油とか砂糖とか売りに来ていた闇屋《やみや》で、その見事な髯と、六尺近い巨軀《きょく》と、闇屋ずれのしない一徹者の人のよさで、編集局への出入を大目に見られていた人物であった。半年程前までは三日にあげず姿を見せていたが、爆撃が烈しくなってからは、商品が手に入らぬためかぱったりと姿を消していた。

「どうした、熊さん」

「ここに当分住みますよ」

と鮎太は言った。

「他人の土蔵だろう」

「勿論《もちろん》そうでさあ。でも、当分は住めると思いますよ。戦争が終ったからって、家の奴《やっ》ら直ぐ舞い戻っては来ないでしょう」

「来たらどうする」

「謝まって、隣へ引越しますよ。とにかく権利を奪《と》られんように、今日、手当り次第、そこらの土蔵へ熊井と書いた紙を貼《は》っておきましたよ。貼らんよりはいいでしょう」

熊さんこと熊井源吉はそんなことを言った。それから判断すると、熊さんは住人のいない他人の土蔵を、当分の間転々とするつもりでいるらしかった。それから、

「ひとつお願いがあるんです。実は、明日家内を貰《もら》うことになりましてね。今日初めて会ったんですが、私と同様に宿なしで、性質はいいようです。話がすらすらとまとまりましてね。戦争も終ったからひとつ共同で幸福な家庭を築き上げようってわけでさあ、不可ませんか」

「不可《いか》んことはないだろう。相手は幾つなんだ」

「二つ上です。これだけが玉に瑕《きず》ですが、案外若く見えます。四十七です」

鮎太は、この時初めて熊さんが四十五であることを知った。

「それで明日来てもらいたいんです」

「結婚式か」

「まさか。いま時、そんなことが出来ますか。結婚式は今夜挙げてしまいますよ。明日から汁粉屋《しるこ》でもやろうと思うんです。午後店開きをするからぜひ来て下さい」

「よし、来よう」

そう鮎太は言った。いきなり、一つの明るい光にぶつかった気持であった。熊さんが終戦後一番早く自分の生活の建て直しに、積極的に取りかかった人物であった。言い換えれば翌檜第一号と言ってよかった。

その翌日の午後、鮎太は言われたように、無断で他人の半焼けの土蔵を借用して開業した汁粉屋へ出掛けて行った。『砂糖入りの甘いお汁粉』というビラが下手糞《へたくそ》な墨の字で書かれて、その下に、『但《ただ》し本日は五人限り』と断わり書きがしてあった。ビラは竹の棒に挟まれて地面に突きさされてあった。

鮎太が土蔵の前の方へ廻《まわ》って行くと、土蔵の扉は開けひろげられてあったが、内部は暗かった。

「熊さん、いるか？」

鮎太が声をかけると、熊さんの細君と思われる女性が、半裸体で姿を出した。

「何か、用ですか」

不愛想ではあったが、小作りの思いのほか清潔な感じのする女性であった。四十七には到底見えなかった。

「おっさんは、どこかへ子供を連れに行きましてん」

彼女は、握り拳《こぶし》で額の汗を拭《ふ》きながら言った。

「熊さん、子供あるの」

「一人おまんね。十三の女の子だそうです」

「ほう、今まで男手で養っていたのかな」

「そうだっしゃろな」

内儀《かみ》さんは、他人事《ひとごと》のように、突き放した言い方をした。そして、急に、

「まあ、お入りやす」

と、鮎太を客扱いにした。

薄暗さに慣れると、鮎太は土蔵の板の間に横坐りに坐っている若いこれも半裸体の、余り風体《ふうてい》のよくない女性がいることを知った。

女がどんぶりようの器物で汁粉らしきものを飲んでいるところを見ると客らしかった。

女はどんぶりを置くと、欠伸《あくび》を一つして、それを二つ三つ拳で敲いてから、

「砂糖持ってくるが、買うか、小母《おば》さん！」

と言った。

「買いまっせ、廉《やす》けりゃあ」

内儀さんが答えると、

「廉いに決まっている。かっ払ってくるんだから」

鮎太はびっくりして顔を上げた。若い女は、

「リヤカーでも、トラックでも、何ででも持って来る」

「そんな仰山《ぎょうさん》持ち込まれても、どう仕様もあらへん」

内儀さんも、びっくりしたらしかった。

「買ってえな。多勢で分けりゃあ、ええやないか」

「一体、そんな仰山、どこから持って来ますねん」

「神戸から運んで来る。友達の家がもともと砂糖屋で、売り惜しみして防空壕《ぼうくうごう》の中へ沢山しまってあるんや」

「あんた、一体なんやね」

「三の宮の不良《でんこ》や」

若い女は悪びれずはっきりと言って、

「ああーあ、三の宮も焼けてしもうた！　宿なしや、ここに置いて貰おうかな」

口では、そんな事を言ったが、直ぐ立ち上がると、勘定をして戸外へ出た。夕明りの中で見ると、若い女は、少し顔は険しかったが、すっきりした顔をしていた。二十二、三であろうか。

「戦争もっとありゃあええに！　終ってしもうた。なあも、面白いことあらへん」

捨て台詞《ぜりふ》を残して、女は向うへ立ち去って行った。

「あんなのがいるんで、戦争敗《ま》けたんや」

内儀さんは言いながら、鮎太のところへどんぶりを運んで来た。鮎太は、しかし、女が全く戦争というものに対して他人と考えを異にしていることが、妙に新鮮に感じられた。

この女とは、鮎太はその後、同じこの熊さんの家で親しくなった。本当にオシゲという三の宮の硬派の不良少女だった。気性は鉄火だったが、眼を細めて笑うと、色の黒い顔がひどく優しくなり、むっつりと黙っている時の横顔は、鮎太が何かの写真で見た外国の宮廷の皇女に似ていた。

それから鮎太は毎日のように、新聞社の帰りに、熊さんの家を覗《のぞ》いた。髯面《ひげづら》の熊さんの大きな躰《からだ》の向うで、内儀さんの小さな躰が、こまめに立ち働いていた。一見すると、似合の夫婦であった。しかし二人がそれぞれ子供を連れていることに、何か二人の間をしっくりさせないものがあるようであった。内儀さんの連子は八つの男の子だった。

「どうも、俺の娘よりも、自分の子供の方にいいものを食わせていると思うんです。

それでなくて、ああ、まるまると肥《ふと》るものではない」

内儀さんがいない時、熊さんは鮎太にそんなことを言った。しかし、これは内儀さんの方も同じだった。

「どうです。どこから仕入れたのか、おっさんと来たら、娘にあんな純綿のシャツを着せてやって、幾ら働いても、せいがないことですわ」

そんな愚痴をこぼした。しかし、子供の事以外では、二人は仲睦《むつま》じいようで、お互いにおっさん、おばさんと呼び合って、朝から晩まで汗を出して立ち働いていた。

熊さんの店は終戦後一カ月の間に二回変った。最初の土蔵が二人の手で整理され、小さい畠《はたけ》が耕された頃、持主がやって来て立ちのきを要求したからである。熊さんは仕方ないので、近くの他の土蔵に変り、そこで店を開いた。二軒目の土蔵の時から、店には毎日のように客が立て込んだ。が、そこも一週間程で立ちのきを喰い、三軒目は、屋根のすっとんでいる外囲いだけが残っている土蔵に、ブリキで屋根を張った。雨の日は大騒ぎだったが、商売はますます繁昌《はんじょう》した。

十月の初めに、熊さんは、

「家を一軒持ちますわ」

と鮎太に言ったが、それから間もなく、大工を連れて来て、三日程で一軒のバラックを建てた。そこで熊さんは喫茶店を開いた。『砂糖入りの珈琲《コーヒー》』のビラが建物の側面に、何枚もべたべたと張りつけられた。梅田界隈《かいわい》では、小さいとはいえ、ともかく、最初の珈琲店だった。店の名は内儀さんの主唱で『銀河』とつけた。

十月の満月の晩、熊さんの銀河で、月見の宴が張られることになった。鮎太、それに熊さんの店の最初の客であったオシゲが、熊さん夫婦から招待された。

その日、鮎太が銀河へ行くために新聞社を出ようとすると、玄関口でばったりと、犬塚山次とぶつかった。犬塚はわざわざ鮎太を訪ねて来たものらしかった。

「少し頼みがあるんだ」

と彼は言った。訊《き》いてみると、進駐して来たアメリカの兵隊の中に、入墨をしている者が多勢いると思うが、何とかして、それを写真に撮ることはできないものだろうかと言うのであった。

「難しいだろうな」

と、鮎太は即座に答えた。終戦直後のことではあるし、幾ら新聞社からでも、そうした申し出は取り上げられないだろうと思った。

「日本人の入墨では駄目か」

「日本人のは相当資料を持っているんだ。しかし、日本人のでもないよりはいいから、撮れるんなら撮って貰いたい。資料だから多過ぎて困るということはないんだ」

鮎太は、いつかオシゲが、彼女が出入りしている賭場《とば》のことを語った時、男の人はみんな入墨していると言ったことを思い出し、日本人の入墨なら、オシゲに頼めば何とかなるだろうと思ったのである。

「よし、じゃあ、一人紹介する、多分その女に頼めばいいと思うんだ」

鮎太はそう言って、犬塚山次を連れて、その足で熊さんの銀河に出掛けた。

夜が物騒だったので、熊さんは平生でも日没と共に店を閉めたが、その日は観月の宴のために、特に早く店を閉めたらしく、鮎太が銀河に行ってみると、木製の粗末な卓と椅子《いす》は店の隅に積み上げられ、土間には茣蓙《ござ》が敷かれ、その上に熊さん手製の食卓が置かれてあった。そして食卓の上にはバクダンと称せられる怪しげな酒と、野菜の煮たのと、急に最近出廻り出した進駐軍の缶詰が口を開けて、幾つか並べられてあった。オシゲはまだ来ていなかった。

「おかげで、どうやら出世しました」

熊さんは、そんな挨拶《あいさつ》をした。

「あほらしい」

内儀さんが傍で言うと、

「出世やないか。今時、ちゃんと一軒の店を持ち、食うに困らん奴はそう沢山はいないぞ、なあ、梶さん」

鮎太は熊さんのそんな満足そうな表情を見ていて楽しかった。

「髯《ひげ》を剃《そ》るんだな」

鮎太が言うと、

「梶さんがそう言うなら剃らんこともないが」

熊さんは三寸はあろうと思われる髯を、しきりに、大きな掌《てのひら》で摑《つか》んでは引張っている。

「ごろつきみたい！　汚いったらありはしない！」

内儀さんは、熊さんの髯を前から嫌っていた。

「ごろつきやないか！　ごろつきで悪かったな。そのごろつきのお蔭《かげ》でお前は倖《しあわ》せになったんじゃあないか」

「あほらしい」

鮎太はその日初めて、顔に薄化粧をしている内儀さんを見た。育ちは内儀さんの方が少し上等らしく、そんなことから、内儀さんの眼には、熊さんが時々自分の趣味に合わぬ人物に見えているようであった。

犬塚山次は、こうした場所には全然慣れていないらしく、黙って酒のコップを取り上げては、

「酒と言うものは何年振りかな」

そんな事を言っては、がぶりがぶりと飲んでいた。

「大丈夫か」

鮎太が注意すると、

「大丈夫だろう」

やたらに食卓の上の物を頬張っては、バクダンを喉《のど》に流し込んだ。

「オシゲさん、まだかな、遅いな。あの子が来んと、どうも弾《はず》まなくて不可ん」

熊さんは時々立ち上がって行っては、扉を開けて戸外を覗いた。

「しょうもない！　女の子だと言うと眼尻《めじり》を下げて。鏡を見てごらん」

内儀さんは、そんな熊さんに嫉妬《しっと》した。

「お前さんだって男の客の時は返事が違うじゃあないか！　いい年をしやあがって」

熊さんは熊さんで、やはり内儀さんに嫉妬していた。

鮎太の眼には、熊さん夫婦がやはり幸福そうに見えた。

月が焼跡のビルの上に上がった時、スキーズボンの上に、真赤なセーターを着て、最初見た時とは見違える程綺麗《きれい》な服装になっているオシゲが飛び込んで来た。

彼女は店へ一歩踏み込んで、

「連れがあるで、ええか？」

と言った。

「いいとも」

熊さんが答えると、戸外へ向かって、

「お入り」

と言った。すると、口々に「今晩は」「今晩は」と挨拶しながら、十八、九の少女が三人入って来た。

「お土産や」立ったままオシゲは言うと、スキーズボンの裾《すそ》の紐《ひも》を解いて、それを振った。大型の板チョコが二、三十枚飛び出した。オシゲにならって、他の少女たちも、モンペやズボンの中から、それぞれチョコレートを出して、土間の上にばら撒《ま》いた。

「どうしたんや、それ」

熊さんが訊くと、

「襲撃や」

オシゲは答えた。

急に一座は賑《にぎ》やかになった。熊さんは二回、護身用の丸太を手にして、どこかへ酒を買いに行った。

少女たちは、忽《たちま》ちにして他愛《たわい》なく酔っ払い、どこで覚えて来たのか、ジャズを奇声を上げて唄《うた》った。犬塚山次は、オシゲが現われた頃は酔っ払って、何回も吐いて、蒼《あお》い顔をして寝ていたが、やがてむくむくと起き上がると、紙のように白くなった顔のままで、山西省の山奥の部落の踊りを珍妙な恰好《かっこう》で踊った。踊りというより、蝙蝠《こうもり》でも舞うような、不思議な飛び廻《まわ》り方で、あわや羽目板に衝突するかと思うと、そのたびに器用に身を翻《ひるがえ》した。

オシゲは、驚くほど酒に強かった。飲み出すと気持が滅入《めい》って来る方で、眼を据えて、数年前流行した感傷的な流行歌を繰返して唄った。

熊さんは芸がなかったので、「やれ！　やれ！」とか「うまいぞ！」とか「やかましい！」とか大声で呶鳴《どな》り立てていたが、やがて戸外へ出て行った。

間もなく、

「月がいいぞ、みんな出て来い」

そんな声が聞えて来た。その声で少女たちは出て行った。続いて、鮎太も、オシゲも、内儀さんも、月を観《み》るために戸外に出た。見晴るかす焼野に月光が降っていた。四辺は荒涼たる荒磯《あらいそ》の感じで、十月の夜気が肌に寒かった。

どこかで銃声が聞えた。鮎太ははっとした。

「毎晩でっせ、一発や二発」

と内儀さんは動じないで言った。

又、銃声が聞えた。二発目の時、

「どうれ、相手になって進ぜよう」

そう言ったかと思うと、オシゲはズボンのポケットから拳銃《けんじゅう》を取り出し、それを空に向けた。

「よせ！」

思わず鮎太が叫ぶと、

「射《う》ちはしないわよ」

そう言って、拳銃を両手に捧《ささ》げるようにして、鮎太の方へ近寄って来た。鮎太は自分の方に真直《まっす》ぐに向けられているオシゲの、半面月光に照らされている顔に思わず見《み》惚《と》れた。

鮎太はオシゲから眼を離して空を仰いだ。夜空は頭の直ぐ上に重っていた。星の植民地——鮎太は自分の周囲の、天体から蒼白い照明を当てられた廃墟《はいきょ》の街跡を見廻して、ふとそんな感じを持った。その星の植民地の上で、地面に胡坐《あぐら》をかいている犬塚山次の奇妙な姿が、焼け残りの石仏か何かのように、人間離れのした固い冷たさで鮎太の眼には映っていた。

鮎太は銀河の月見の宴から十日程経《た》ってから、住吉にオシゲが住んでいるという家を、新聞社の若いカメラマンと二人で訪ねて行った。犬塚山次に頼まれた入墨の写真を撮るためであった。そこは二部屋程の小さい平家建ての家であった。鮎太はオシゲ自身の家だとばかり思って訪ねて行ったが、日傭《ひやと》い人夫か何かの中年の夫婦者の家で、どういうわけかオシゲはそこで大きな顔をしていた。

小さい玄関の三畳間には、赤子が寝かされてあり、そこを通って次の間の襖《ふすま》を開けると、部屋の内部にはもうもうと煙草《たばこ》の煙が渦を巻き、数人の男たちが車座になっていた。

「うちの兄哥《あん》ちゃんや、よろしく」

オシゲは、そんな風に鮎太を紹介した。幾つかの顔がいっせいに鮎太とカメラマンの方を向いたが、直ぐまた真ん中の花札の方へ吸い寄せられて行った。

オシゲは、花札の勝負を見ていた二人の中年の男たちを狭い庭へ連れ出すと、その方には、

「すまんなあ」

と言っておいて、

「撮らして貰《もら》いいな」

と、鮎太の方へ目配せした。オシゲが前以《まえもっ》て頼んであったと見えて、男たちは着物を肌脱ぎし、それから意外に清潔な白いシャツを脱いだ。

一人の頬に傷のある男の背には、大名か何かの葬式らしい行列が右肩から左腰にかけて細かく彫られてあった。棺《ひつぎ》の前後には多勢の武士や女や僧侶《そうりょ》たちが並び、その後には奴《やっこ》が二十人程続いていた。奴は箱を担《にな》っている者もあれば、布包みを持っている者もあった。どの奴も脚絆《きゃはん》をつけて草鞋《わらじ》を履いていた。

もう一人の、見るからに栄養不良らしい顔の土色の小男の背には、大きな羽子板が背中いっぱいに彫りつけられ、羽子板の中では弁慶が勧進帳《かんじんちょう》を読んでいる。

「羽根はここにありまっさ」

そう言って、小男は、片脚を上げて、それを手で持って、足の裏を鮎太の方に示し

た。そこには赤い羽根が一個、足の裏いっぱいに彫られてあった。

　カメラマンは何枚か二人の背をカメラに収めた。鮎太たちは縁側で一時間程時間を潰《つぶ》して、更に別の二人の博奕《ばくち》打ちの入墨を写真に撮った。

「僕は帰りますよ」

　若いカメラマンは余り居心地がよくないらしく、仕事が終ると、直ぐ鮎太を残して帰って行った。

　鮎太はオシゲがどこからか持って来た稲荷《いなり》ずしを御馳走《ごちそう》になり、部屋に電燈《でんとう》の点《とも》ったのを合図にそこを引き上げた。

「うちも行こうっと」

　そう言って、オシゲも一緒について来た。

　鮎太はオシゲと一緒に三の宮へ出た。

「もっと入墨を見たいんなら、番町でも、新川へでも案内します」

と、オシゲは言った。

「もう沢山」

　鮎太が言うと、

「じゃあ、どこか、そこらへ顔を出してみますか」

そう言って、オシゲに連れて行かれたのは、ビルの地下室にある酒場だった。
五、六人の先客がスタンドに腰を降ろしていた。
「兄哥《にい》さん、今晩は」

オシゲは、一番奥にいる三十前後の男に挨拶した。

男はこちらを振り返った。煉瓦《れんが》色の、女でも着そうな首までのセーターを着た色の白い整った顔の青年だった。

「オシゲ、金あるか」

男はいきなり言った。

「あらへん」

オシゲが答えると、男は、

「持って行けよ」

そう言って、ポケットから何枚かの紙幣を取り出した。オシゲは近寄って行くと、

「おおきに」

と言って、それを受取って、鮎太のところへ戻って来た。

「あれが有名な田原」

オシゲは言ったが、その田原と言う青年が何で有名なのか、勿論《もちろん》鮎太には判《わか》らなか

った。

「あの横についているのが、チャナ。あんまりよくない女や」

オシゲは説明した。そして鮎太に、

「やけくそや、じゃんじゃん飲みましょうか」

と言った。

その晩、鮎太は終電車までオシゲと酒を飲んだ。酔っ払えば、酔っ払うほど、オシゲは眼を光らせて、色の黒い、整った顔を、精悍《せいかん》にした。

「お金欲しくなかったけれど、貰ってやった」

オシゲは、半ば呂律《ろれつ》の廻らなくなった言葉で、鮎太を送って来た駅のホームで、三回程同じことを囁《ささや》いた。鮎太は、オシゲが酒場にいた腕っ節の強そうな美貌《びぼう》の青年を好きになっているのではないかと思った。

十二月にはいってから、鮎太は仕事が忙しくて、一週間程銀河へ顔を出さなかった。すると、ある日、熊さんからの使いが来て、ちょっと来て貰いたいと言うことであった。社の退《ひ》ける間際《まぎわ》だった。

鮎太が行って見ると、表戸を閉めた店の内部で、熊さんも内儀《おかみ》も言い合わせたように、土間の上に対《む》かい合って坐《すわ》って、難しい顔をしていた。

「見ておくんなはれ」

内儀さんのその言葉で気付いたのだが、店の内部は、掃除こそしてあったが、ひどい痛みようであった。羽目板は割れ、窓枠は落ち、隅には卓や椅子《いす》の壊れた木片が積み重ねられてあった。

「見ておくんなはれ」

内儀さんはもう一度言ったが、熊さんは気難しく腕組みしていた。

「どうしたんだ」

鮎太が訊《き》くと、

「どうもこうもあらへん。敲《たた》き壊してやった」

と、熊さんは言った。内儀さんは熊さんには取り合わず、鮎太に、

「何が気に障《さわ》ったか知らないが、この始末です。自分の物を自分で壊すのは勝手や。だけどこの家も、この家の内部の品も、わたしが半分は造ったものです」

幾ら訊いても、喧嘩《けんか》の原因ははっきりしなかったが、とにかく、熊さんは腹を立てて、大荒れに荒れて、家を半分敲き壊したものらしかった。そしてすった揉《も》んだの挙句、その謝罪の意味で、熊さんは半年間、この家を出るということを承知させられた

ものようであった。熊さんは詰め腹を切らされた形だった。

「半年経ったら、もともと、ここはおっさんも半分権利があるによって、家へ入れてやりますさ。半年経たんと、うち諾《き》きしません」

内儀さんの方が理路整然としていた。鮎太は仲裁役を買って出たが、内儀さんの方も諾かなかったが、肝心の熊さんの方があっさり諦《あきら》めてしまった。

「半年やな。いいな、半年したら大威張りで帰って来るぞ」

「何も大威張りで来ることあらへん」

「何を言ってけつかる！　半年経ったら、大威張りで帰って、又、家を壊してやる」

「好きなように！　そしたら、また半年や」

こうした場合の熊さんの諦め方には驚くべきものがあった。

鮎太のいる前で、熊さんは風呂敷《ふろしき》包み一つ持って本当に出て行った。熊さんの娘さんだけは内儀さんが預かることにした。

そんなことがあって五日程して、鮎太は伊那谷《いなだに》の山村から材木の運搬の仕事をやっていると言う熊さんからの葉書を貰った。「おばさんに宜《よろ》しく言っておくんなされ。半年間ここで働きます」そんな事が、下手糞《へたくそ》なペン字で書かれてあった。

内儀さんは一人になると、

「豪《えら》いもんだっせ。おっさんがいんようになってから、えらい繁昌《はんじよう》です」

と言った。実際に、店は、熊さんがいなくなってから客がよく入って来るようであった。

「でも、おっさんはいい人じゃあないか」

「いい人は判っています。いい人だけれど、学問はないし、趣味は悪いし」

「贅沢《ぜいたく》を言うなよ」

この鮎太の言葉を受けつけないで、

「戦争が終ったばかりの時だっしゃろ、当るのはどうせ、あんなとこですわ」

自嘲《じちよう》的に内儀さんは言った。

十二月には鮎太の方にも一つ新しい出来事が起った。

初めての女性名前の颱風《たいふう》が本土に上がった日だった。颱風に名前がつけられていることが、人々には耳新しく奇異に感じられていた。

その颱風の夜、鮎太は郊外の家へ帰ってみると、電燈の消えた部屋に蠟燭《ろうそく》をつけて、オシゲが一人待っていた。

「どうして入った」

「窓をこじ開けて入りました」

平生のオシゲより、言葉遣いが少し丁寧だった。

「何の用？」

「用なんてあれしまへん。うち、淋《さび》しい」

横坐りに坐って、暗い蠟燭の光に照らされているオシゲの寒そうな姿は、どこか本当に淋しそうだった。

鮎太はそんなオシゲに戸惑いを覚えたが、オシゲの眼が自分を下から見詰めているのを感じると、鮎太の心は決まっていた。自分は到底この粗野で生き生きしたものの誘惑には勝てない気がした。

家は一晩中豪雨と強風に敲かれていた。雨戸に当る風の音が少し弱まったと思うと、もう暁方《あけがた》の光が戸の隙間《すきま》から忍び込んで来た。

オシゲは左手で右腕を軽く押えて眠っていた。鮎太は二度眼を覚ましたが、二度ともオシゲはそんな寝方をしていた。三度目に眼覚めた時、鮎太は彼女の左腕を軽くのけてみた。右腕には小さい桜の花弁の入墨があった。

鮎太はまた何度目かの睡りに入った。眼を覚ました時、夜はすっかり明けきっていて、いつ帰ったのか、オシゲはいなかった。魚の肌のような、冷たくて固く緊《しま》った筋肉の感触、桜の花弁を左手で押えていた寝姿の記憶、それら一切は鮎太には殆《ほとん》ど信じられない夢幻の中の出来事のような気がした。そして何より女が純潔であったことが、鮎太には意外だった。

それから二日程した夜、鮎太は新聞社の机の上で、早刷りの朝刊に、先日三の宮の酒場で会った美貌の青年の写真が載っているのを見た。三国人が多勢で二派に分れ、神戸の六甲山で射《う》ち合った事件があったが、それに田原は唯《ただ》一人の日本人として関係していたらしかった。しかし、新聞記事はその田原の検挙を報じたものではなく、彼の失踪《しっそう》を伝えたもので、彼の小さい写真の横には、彼と共に行方を晦《くら》ました情婦の写真が載っていた。

その晩、家へ帰ると、オシゲが来ていた。鮎太は、それとなく田原のことを話してみた。オシゲはどう思っているのか、その場合は、たいして動ずることもなく、

「あの人たち、どうせ帰って来はしないと思うの。朝鮮かどこかへ渡ってしまったという噂《うわさ》よ」

それだけで、その話は切って「奥さんに悪いわ」とちょっと首をすくませて、鮎太の机の置いてある部屋のあちこちを見廻《みまわ》した。

鮎太は、毎夜、家へ帰って玄関を開ける度に、オシゲが来ているのではないかと思った。しかし、大抵の場合、その期待は裏切られた。

オシゲは思い出したように、月に二回か三回訪ねて来た。相変らず、いつも、右腕の桜の花弁の入墨を左手で匿《かく》すようにして眠った。鮎太は、そうしたオシゲから次第に離れられなくなって行く自分を、時々、深い淵《ふち》でも覗《のぞ》くような絶望的な気持で振り返った。終戦翌年の冬から初夏へかけて、二回程、疎開《そかい》している家族のもとへ帰ったが、何とか口実をつけて、その度に疎開の引き揚げを延ばしていた。

五月に入ったばかりの時だった。銀河の内儀さんが顔色を変えて、新聞社の受付へやって来た。鮎太が階下へ降りて行くと、

「帰って来やはりました」

そう言って、息を呑《の》んだ。熊さんが昨夜帰って来たと言うのである。

「まだ半年になれしまへんが、家へ入れんと言ったら、意地張りやもんで、戸外へ寝ました」

「もういいじゃあないか、半年になったってならなくたって。仲直りしたら、どう？」

鮎太は、内儀さんの依怙地《いこじ》さに反感を感じて強く言った。すると、内儀さんは急に泣き出して、

「あの人はいい人です。うちより余程いい人です。でも、あの鬚面《ひげづら》を見ると、うち、

かないません。あの人のいいとこが、みんな嫌になってしまいます」

「まだ髯を生やしてるの？」

「そうですがな」

「じゃあ、僕が剃《そ》らしてやろう」

「剃ったって同じことですがな。剃ったらおっさんらしくなくなって、変なものですわ」

鮎太は内儀さんを社の客室へ入れて、そこで、真剣に話を聞いてみた。あれこれ訊いてみた挙句の果てに到達した結論は、内儀さんが結局は熊さんを段々嫌いになって行くということであった。

終戦直後、二人が一緒になった時はいい人だと思ったが、世の中が次第に正常に戻るにつれて、その熊さんのいいところが、だんだん嫌になって行く。そういう内儀さんの気持も言われてみれば成程判らぬこともなかった。熊さんの持っているよさには、確かにそんなところがあった。

その晩銀河の店で、熊さんと内儀さんと鮎太の三人は、言葉少く酒を飲んだ。熊さんは、髯面の中で、眼をぎらぎらさせて、

「半年間清浄でした」

そんなことを傲然《ごうぜん》と鮎太に訴えた。

「まだ半年にならへんが」

内儀さんは横から逆襲した。鮎太は熊さんの味方でも内儀さんの味方でもなかったが、熊さんのなだめ役に廻った。また家を壊しかねなかったからである。熊さんは、実際に、時々座を立っては、羽目板に握り拳《こぶし》を当てたり、兇暴《きょうぼう》な眼付きでそこらを歩き廻ったりした。内儀さんの方は、終始つんとして静かにしていた。

三日間、毎日のように、鮎太は銀河に引張り出され、別れたいという内儀さんと、別れるのは嫌だと言う熊さんの間に板挟みになった。

そして三日目に、やっと銀河の店を売って、その金を山分けにし、自分の子供をそれぞれ自分のところへ引き取ると言うことで、別れ話が成立した。

「そうすれば元の木阿弥《もくあみ》で、後腐れがなくてさっぱりしていい。わしはまた伊那へ帰ります」

案外、さっぱりと熊さんは納得した。内儀さんの方は、折角店をこれまでにしたのだからと、多分に店に未練はあったらしいが、結局、彼女もそれを承諾した。

「また新規蒔直《まきなお》しにやりますわ、頼みまっせ」

内儀さんは言った。彼女はまたどこかで喫茶店を新しくやるということだった。

内儀さんは、熊さんには未練はなかったが、熊さんの娘には愛着があるらしく、その娘が熊さんに連れ戻される話が出た時だけ、声を上げて、その場に泣き伏した。

熊さんこと翌檜《あすなろう》第一号の幸福な家庭の設計はかくして、終戦後一年足らずで崩壊しなければならなかった。いい人間同士が集って、それでいて幸福というものが摑《つか》めないことが、鮎太には割り切れぬ気持で残った。

鮎太は伊那へ帰る熊さんを内儀さんと一緒に大阪駅へ送る途中、駅のホームの階段で、田原と会った。田原とは一回しか顔を合わせていなかったが、派手な服装をした、それでいてどこか崩れた感じを歩き方に持っている大柄な美貌《びぼう》の青年は、やはり田原以外の人物ではなかった。彼は四、五人の、彼よりはずっと見劣りする服装の青年たちに取り巻かれるようにして、改札口の方へ足早に降りて行った。

熊さんは列車の窓から髯面を突き出しては、内儀さんの差し出す風呂敷包みを、一つずつ車内へ入れていた。傍から見ていると、二人は睦《むつま》じそうな夫婦に見えた。列車が動き出すと、熊さんと彼の娘はやたらに手を振った。列車が見えなくなってから、内儀さんは、

「おっさん、到頭往《い》ってしもうた！」

そうぽつんと言って、暫《しばら》くそのままの姿勢でそこに立っていた。

熊さんがいなくなってから二、三日してからのことだった。夕方、鮎太は受付から面会人だというので、階下へ降りて行ってみるとオシゲが立っていた。

新聞社の受付の空気が窮屈にでも感じられるのか、オシゲは身を硬くしていた。

鮎太はオシゲを連れて、直《す》ぐ社外《そと》へ出た。街角で風が砂埃《すなぼこり》を巻いていた。夕方はもうすっかり夏の感じだった。

「うち、お嫁さんに行くことにしました」

突然彼女は言った。

「どこへ」

「秋田県の田舎の米屋さん」

それから、くっくっと笑った。

「どうして」

「奥さんに悪いから」

「悪いのは僕の方だろう」

「そりゃあ、梶さんは梶さんで悪いけれど、わたしはわたしで悪い」

「決めたの？」

「もう決めちゃった。早いでしょう。それに、友達が留守の間に来ては、洋服を持って行ってしまうし、急に三の宮が嫌になっちゃった」

本当に嫌そうな顔をした。

鮎太は、オシゲと繁《しげ》く会っていたわけではなかったが、オシゲのいなくなった後の生活を考えて、その索寞《さくばく》さを心で計算していた。

「どこかで夕食を食べようか」

「やめましょう。このまま、すうっと別れちゃった方がいい」

「嫌に気が早いんだな」

鮎太はこのままオシゲを手離す気にはならなかったが、言い出したら諾《き》かないものを、真直ぐに前を向いて歩いて行くオシゲの横顔は持っていた。

「田原に会った」

「あの人、三の宮に来ています」

オシゲの表情には何の変化もなかった。田原については、それだけの会話しかしなかった。しかし、鮎太はオシゲが結婚するという気になったどこかに、田原という不良の青年が何かの役割をしていそうな気がしてならなかった。

銀河の前を通った。銀河は既に人手に渡っていて、頭髪をもじゃもじゃにした若い娘が一人入口に立っていた。

今度も喫茶店になるらしかったが、まだ店は開いていなかった。

「犬塚さん、どうしています？」

鮎太はその後犬塚とは会っていなかった。去年入墨の写真を送ってやったが、それに対する礼状も来なかった。そして一カ月程前一度、彼から腕のいい、報酬の廉《やす》い、よく働く製図屋を至急探して寄越してくれという虫のいい依頼の葉書が舞い込んだが、鮎太は忙しさにかまけて、そのままにしてあった。

「何かやっているのだろう」

鮎太はオシゲに答えて、犬塚山次だけは、何ものにもくたばらず、勝手な自分の研究を続けていることだろうと思った。あいつだけは、正真正銘のあすなろだと思った。

しかし、気付いてみると、あすなろは今や、オシゲと並んで歩いて行く彼の周囲にもいっぱい氾濫《はんらん》していた。雑多な食料品や得体の知れぬ化粧品の壜《びん》を並べたバラックの店が、曾《かつ》ての焼跡の上に、所狭いほど、押し合いへし合い並び立っていた。そして、日本人も三国人も声をからして何かを呶鳴《どな》り、客を招《よ》んでいた。日毎《ひごと》に価値を喪失して行く紙幣を廻《めぐ》って、烈しい争奪戦は展開していた。人々は誰も彼も、自分をのし上がらせるために血みどろになっていた。僅《わず》か十カ月足らずの間に、すっかり世の中は変っていた。

「ここで別れましょう」

闇市《やみいち》の十字路で、風に髪を飛ばせながら、オシゲは言った。

そこは、去年の秋、熊さん夫婦と、オシゲと、三人の彼女の仲間たちと、それに犬塚山次と鮎太が加わって、月を見た星の植民地の丁度真ん中に当る場処であった。

井上靖　人と作品

福田宏年《ひろとし》

井上靖《やすし》の幼年時代、少年時代を見る時、それは世間一般と較《くら》べてかなり特殊で風変りなものと言わねばならない。両親もあり、弟妹《きょうだい》もいながら、一人だけ父母の許《もと》を離れて、血の繋《つな》がらぬ祖母と二人きりで土蔵の中で暮すという幼年時代を持った。また少年時代も、軍医で任地を転々とする父母と離れて、孤独かつ自由な中学時代を送った。この時期のことは、井上自身、『しろばんば』『幼き日のこと』『あすなろ物語』『夏草冬濤《なつぐさふゆなみ》』などの、自伝ないしは自伝的作品で描いている。これらの作品を読み、井上の幼少年時代を辿《たど》るとき、後年の小説家井上靖を成立せしめているファクターのほとんどはそこに見出《みいだ》すことが可能であり、いわばその特殊な幼少年時代が小説家井上靖を生み出したと言っても過言ではない。

井上靖は明治四十年五月六日、北海道旭川《あさひかわ》で隼雄《はやお》の長男として生れた。これは父の隼雄がその頃旭川第七師団の軍医部に勤務していたためである。原籍は静岡県田方《たがた》郡上狩野《かみかの》村湯ケ島である。父の隼雄は上狩野村門野原《かどのはら》の石渡《いしわた》家の出で、金沢医学専門学校を出て軍医となり、井上家の長女八重《やえ》と結婚して井上家に入った。井上家は明和年間以来続いた伊豆《いず》の医家で、初代は四国から流れて来た流人と言われ、母を連れて湯ケ島に草鞋《わらじ》を脱ぎ、里人の脈を取ったという。井上家の先祖のうちで、靖が最も尊敬するのは第五代に当る曽祖父《そうそふ》の潔《きよし》である。潔は初代軍医総監、松本順の門に学び、若くして県立三島病院長を勤めた。中年から郷里湯ケ島に退いたが、当時は伊豆一円に知られた名医で、沼津や下田まで駕籠《かご》で診察に出かけたという。

　靖が五歳になった時、父母の許を離れて郷里湯ケ島に帰り、曽祖父潔の妾《めかけ》であったかのの手で育てられることになった。かのは潔の妾として長く仕えたが、その労に報いるために潔はかのを八重の養母として入籍した。従ってかのは靖の戸籍上の祖母となる。靖がかのに預けられたのは、恐らく弟妹が生れたために一時的にかのに託したのが、いつの間にかずるずる続いたというのが実情のようである。またかのの方も、井上家の長男の靖を謂《い》わば人質として手許に置くことによって精神的な保証を感じ、手放そうとはしなかったのであろう。靖はかのと一緒に土蔵の二階で暮し、日夜松本順や潔のことを聞かされて過した。井上は、『私の自己形成史』の中で、血の繋がらぬ祖母との間柄を「同盟関係」という言葉で表現しているが、幼時の特殊な環境は少年に現実への眼を開かせ、後年の作家井上靖を成立させる土台となっていると言ってもよかろう。

大正三年、靖は湯ケ島小学校に入るが、当時この小学校は、石渡家の当主であり、父隼雄の兄である伯父の盛雄《もりお》が校長を勤めていた。靖が小学校二年の時、沼津の女学校に行っていた母の妹のまちが卒業して郷里に帰り、請《こ》われて小学校の代用教員になった。まちは姉の八重に似て美しい人であった。まちは靖をよく可愛《かわい》がり、靖も若く美しい叔母を慕った。恐らく靖は知らず知らずのうちに、離れて暮す母親の面影を叔母の中に見て、母親への想《おも》いを若い叔母に寄せたのであろう。

まちはやがて同僚の若い教師と恋におち、妊娠して学校を退いた。身ふたつになったまちが、夜人目をしのんで人力車で婚家に嫁いで行くところは、『しろばんば』の中でも一番美しい描写である。まちは嫁ぐと間もなく胸の病を得て死んだ。若くして死んだこの美しい叔母のイメージは、靖の胸の中で育《はぐく》まれ、昇華し、一種の永遠の女性像へと発展して行ったものと思われる。若い叔母へ寄せた母性思慕は、後年作品の中に生き続け、理想の女性像への憧憬《どうけい》となってあらわれている。『射程』の三石多津子も、『氷壁』の美那子《みなこ》も、『風林火山』の由布姫《ゆうひめ》も、『蒼き狼《あおおおかみ》』の忽蘭《クラン》も、すべて若く美しい叔母の化身と言ってよかろう。

小学校六年生の終りに祖母かのの死に遭い、その直後中学受験のため父の任地の浜松に移った。浜松一中の入学試験には失敗したが、これは祖母の死や環境の変化が幼い心に動揺を与えたせいであろう。翌年の四月には首席で合格し、入学後間もなく静岡県下の優等生を集めた選抜試験では一等賞を取っている。しかし二年生の四月には、父が台北衛戍《たいほくえいじゅ》病院長に転任したため、沼津中学に転校し、三島の伯母の家に預けられて、一里の道を徒歩通学した。だが親許を離れた自由さからか、靖の成績は下がる一方で、四年生の四月からは沼津の妙覚寺に預けられることとなった。怠惰はますます昂《こう》じ、この頃から文学好きのグループと交わり、飲酒や喫煙も覚えたが、同時に文学への芽もきざしている。

沼津中学時代のことを描いたのが『夏草冬濤』である。『夏草冬濤』では、性のめざめと文学の芽生えと並んで、モチーフのひとつとなっているのが劣等感情である。作品の至るところに、田舎育ちの少年の都会風に対する劣等感について触れられている。特に親類の「かみき」の美しい姉妹に対して示す、少年の異性への興味と田舎者の気後《きおく》れの混り合った感情は印象的である。

劣等感情は、母性思慕と並んで、井上靖の文学を支える重要なファクターのひとつとなっている。この劣等感は田舎者の気後れに発したものかもしれないが、それに更に拍車をかけたと思われるのが、相次ぐ受験の失敗であろう。普通に入学したのは小学校だけで、あとは中学、高等学校、大学いずれも忠実に廻《まわ》り道をして、大学を卒業した時には、二十八歳の妻帯の身であった。これが少年の鋭い感受性に及ぼした影響は計り知れないものがあろう。井上自身『私の自己形成史』の中で劣等感に触れ、「そしてこの劣等感は、いろいろな形を変えてかなり後年まで私という人間を支配した」と言っている。

自伝的小説『あすなろ物語』は、明日は檜《ひのき》になろうと思いつつ永遠に檜にはなれないという悲しい説話を背負った木に託して、自分自身の半生を、劣等感というひとつのモチーフで貫いて小説的に構成したものである。その他、高野山の破戒僧を描いた『澄賢房覚書《ちょうけんぼうおぼえがき》』や、日本画の贋作《がんさく》を描く画家の足跡を拾った『ある偽作家《ぎさくか》の生涯』も劣等感を軸としており、また、うたた寝をして進士の試験の機会を逃す『敦煌《とんこう》』の趙《ちょう》行徳《ぎょうとく》の姿には、作者自身の姿をも重ね合わすことができよう。

昭和二年四月、第四高等学校理科に入学し、入学と同時に柔道部に入部して、それまでの怠惰な生活とは打って変った、禁欲的な練習生活に明け暮れる。三年生になった時、柔道の練習時間のことで先輩と衝突し、責任を取って柔道部を退部する。この頃から井上は詩作を始め、富山県高岡市の「日本海詩人」に詩を投稿したり、高岡の若い詩人たちと同人雑誌「北冠《ほくかん》」を創刊したりする。こうして井上靖の文学放浪時代が始まる。

昭和五年、九州帝大法文学部英文学科に入学するが、間もなく登校の興味を失って上京し、駒込《こまごめ》の植木屋の二階に下宿して、文学書を耽読《たんどく》して日を送った。ただ漫然と怠惰な日を送るだけではなく、友人と同人雑誌「文学ＡＢＣ」を創刊する他方で、福田正夫《まさお》の主宰する詩誌「焔《ほのお》」の同人となり、京王線の笹塚《ささづか》にあった福田の家へ駒込から通って詩の勉強に専心した。

昭和七年四月、九州帝大を退学して、京都帝大文学部哲学科に入学し、美学を専攻して植田壽蔵《じゆぞう》博士の教えを受けた。京大に入ったといっても、授業にはほとんど出ず、毎晩のように吉田山《よしだやま》の下宿の近くのおでん屋で酒を飲んで日を送った。哲学科の友人と同人雑誌「聖餐《せいさん》」を創刊したのもこの頃である。昭和十年十一月には、在学中のままで、京都帝大名誉教授、足立文太郎の長女ふみと結婚した。足立家も伊豆の出で、井上家とは親戚《しんせき》に当る。靖の岳父文太郎は、解剖学者として世界の学界に名を知られた人で、『比良《ひら》のシャクナゲ』の老解剖学者三池俊太郎のモデルである。

京大時代、井上は余程小遣いに不自由していたらしく、「サンデー毎日」で募集していた懸賞小説に応募しては、応募のたびに入選して賞金をせしめている。そして昭和十一年、大学卒業の年に応募した『流転《るてん》』が入選して、第一回千葉亀雄《かめお》賞を受賞し、これが機縁となって毎日新聞大阪本社に入社する。

井上にとって新聞記者時代は、一種の沈潜期であり、醸成期であった。最初井上は宗教記者を勤め、後には美術欄を担当するようになった。宗教記者として学芸欄に執筆した経典の解説記事は、後の『天平の甍《いらか》』や『敦煌』に見られる経典に関する該博な知識の基礎となっている。また井上の作品は本来絵画的性格が強く、美術への眼はもともと優れたものを持っていたと思われるが、十年以上に及ぶ美術記者の経験が、井上の絵画的資質をますますとぎすましたことも否《いな》めない事実であろう。かたわら井上はこの時期、安西冬衛、竹中郁《いく》、小野十三郎《とおざぶろう》、野間宏《ひろし》など、関西の詩人たちと交遊を深めている。

昭和二十年、終戦を迎えるとともに、井上はさながら堰《せき》を切ったように、関西の詩誌や新聞に詩を発表しはじめた。それは、二十年に及ぶ長い文学放浪時代と醸成期に抱き温めてきたものが、突如形を求めて溢《あふ》れ出して来たという趣がある。それらの詩のほとんどは、詩集『北国』に収められているが、これらの詩によって井上靖の文学の基礎は定められたと見ていいであろう。その基礎の上に構築されたのが『猟銃』と『闘牛』であり、『闘牛』によって井上は、昭和二十五年二月、第二十二回 芥川《あくたがわ》賞を受賞して文壇に登場した。

これまで私は、井上靖の文学を支える重要なファクターとして、母性思慕と劣等感情を指摘したが、今ひとつ重要なファクターは、絵画的性格ということである。この絵画的性格は『北国』の中の詩にもはっきり認めることができる。それらの詩はほとんどが、中心に静かな絵画的風景を抱いている。しかもこの絵画的イメージは常に輪郭鮮やかで、澄明《ちようめい》である。たとえば、『比良のシャクナゲ』の中心には、比良山の斜面を蔽《おお》う白いシャクナゲの群落というイメージが据えられている。『記憶』には、どこかの駅の柵《さく》のそばの暗がりに佇《たたず》む父母の姿がある。『渦《うず》』には、熊野灘《くまのなだ》の鬼ヶ城の岩礁《がんしよう》の間の渦が明確なイメージを結んでいる。重要なことは、それらの明確なイメージが、単なる絵画的イメージではなく、作者のポエジーを籠《こ》めた心象風景となっているということである。それらの心象風景に一貫して流れているものは孤独の影である。

井上は詩集『北国』の「あとがき」で、「私はこんど改めてノートを読み返してみて、自分の作品が詩というより、詩を逃げないように閉じ込めてある小さい箱のような気がした」と言っている。もちろんこれは、自作に対する極めて謙虚な注釈であるが、このなにげない言葉が、井上の詩から小説への筋道の秘密を説き明かしてくれるように思う。井上靖の詩は小説のパン種だということがよく言われる。事実井上の小説には、『猟銃』『比良のシャクナゲ』『渦』など、詩と同じ題名を持ったものが多い。言ってみれば井上は、文学のエッセンスとしての詩をまず散文詩という形で捉《とら》え、閉じこめ、やがてそれを小説という形で肉付けしたということができる。『北国』の詩が井上靖の文学の基礎となったと言ったのはそういう意味である。

従って井上の小説、特に短編には、詩と同じように絵画的イメージを抱いたものが多い。『グウドル氏の手套《てぶくろ》』の大きい革の手袋とか、『湖上の兎《うさぎ》』の冬の猪苗代湖《いなわしろこ》の湖面に騒ぐ白い波頭などである。これらのイメージはそのまま作品のモチーフとなり、そのまま一人の人間の姿を象徴し、それぞれ、周囲の白眼に耐える老いた妾、吝嗇《りんしょく》で狷介《けんかい》なオールドミスの姿と重なり合う。

これらの絵画的イメージの中で代表的なものは、やはり詩『猟銃』に出てくる「白い河床」というイメージであろう。

「私はいまでも都会の雑沓《ざっとう》の中にある時、ふと、あの猟人《ひと》のように歩きたいと思うことがある。ゆっくりと、静かに、つめたく――。そして、人生の白い河床をのぞき見た中年の孤独なる精神と肉体の双方に、同時にしみ入るような重量感を捺印《スタンプ》するものは、やはりあの磨き光れる一箇の猟銃をおいてはないかと思うのだ」

人生を水の涸《か》れた白い川筋と見る見方は、井上靖の文学に終始一貫して流れており、

「白い河床」はいわば井上の文学の原像だと言っても過言ではない。

それでは「白い河床」に代表される井上靖の孤独感は、いったいどこに由来しているのであろうか。井上に『姨捨《おばすて》』という短編があるが、これは一族の中に世襲の血として流れている「遁世《とんせい》の志」ともいうべき、現実離脱の心を探ったものである。姨捨山に捨てられたいと洩《も》らす母親、結婚して二児までなしながら婚家を一人でとび出した妹、新聞社の出世コースに乗りながら突然退職して田舎に引っこんだ弟など、ほとんど事実に即している。この他にも、三十代で田舎に退いた曽祖父潔、五十歳にならぬうちに軍医を退いて郷里の田舎にこもり、ほとんど家からも出ず三十年の余生を送った父隼雄など、井上家の家系を辿《たど》るとこうした人物が多い。井上靖の中を流れる『姨捨』の血がいかに濃いかが、窺《うかが》えるであろう。

井上は『私の自己形成史』の中で、新聞記者時代を回顧して、こんな風に言っている。

「新聞社という職場は競争心を持った人たちと、全く競争心を放棄し、麻雀《マージャン》で言えばおりている人たちの二つの型が雑居しているところである。私は新聞社に入社した第一日から、好むと好まざるに拘《かかわ》らず、おりざるを得なかったのである」

「おりる」という言葉は、「遁世の志」の井上的表現であろう。『ある偽作家の生涯』

や『澄賢房覚書』の主人公たちも、『敦煌』の趙行徳も、いわば人生をおりた人たちである。ところが他方で井上は、「私は父と母の退嬰的《たいえいてき》な生き方を敵として、ずっとそれと闘って来た筈《はず》であった」(『私の自己形成史』)とも言っている。そういう激しさは『闘牛』『黒い蝶《ちょう》』『射程』などの作品に表われているが、それもただ行動的というのではなく、それぞれに深い虚無の翳《かげ》を背負っている。これらの人物の行動性が無償の情熱という形を取るのもそのためである。井上の作品はよく、二つの処女作に従って、『猟銃』系統と『闘牛』系統の二つに分類して論じられることが多いが、それもつまりは一枚の盾の裏表のようなものであって、『猟銃』の孤独な世界と『闘牛』の行動的な世界は、遁世の血とそれに反抗する行動の激しさという、井上靖内部の緊張対立を極めて暗示的に示している。

人生を水の涸れた一本の川筋と見る考え方は、やがて発展深化して、『天平の甍』をはじめとする一連の歴史小説の中で行き続けて行く。井上靖の歴史小説の底を流れている思想は、悠久な時の流れの中で翻弄《ほんろう》される人間の頼りなさ、はかなさの中に人間の運命相を見るという考え方である。これら歴史小説の先駆をなす作品としては、『異域の人』『僧行賀《ぎょうが》の涙』『玉碗記《ぎょくわんき》』などの短編があるが、「白い河床」から歴史的運命観への飛躍にとって過渡的な意味を持つのが、『澄賢房覚書』『ある偽作家の生涯』

の二作品である。人生を水の涸れた川筋と見るという意味では、この二作品はまさに「白い河床」をそのまま具現していると言っていいであろう。

『天平の甍』は、日本に戒律をもたらすために、唐の高僧鑒真《がんじん》を招こうと、遣唐船で唐に渡った四人の留学僧の物語である。それは個人の意志や情熱を越えて、自然及び時間と戦う人間の運命的な姿である。ここに脈打っているものは、歴史そのものの鼓動であり、運命の鼓動である。ここでも絵画的手法は生かされ、登場人物の心事の忖《そん》度《たく》は厳しく排除され、明確な形象だけが積み上げられて行く。するとその背後に、どうしようもない運命の姿が浮び上がってくる。それは「白い河床」の発展深化した叙事詩の世界である。

『楼蘭《ろうらん》』になると、この手法はさらに徹底して行われる。千五百年の周期で沙漠《さばく》のなかを移動する湖。丁度その移動に当って、水の引いて行くロブ湖のほとりで砂に埋もれて行く一小国。このイメージ自体が既に歴史と自然の持つ壮大なポエジーである。ここでは登場人物は遥《はる》かな遠景の中の点と化し、歴史そのもの、運命そのものの顔が大写しにされる。

これ以後、敦煌千仏洞成立の由来を作家的空想で埋めた『敦煌』、ジンギス汗を描いた『蒼き狼』、元寇《げんこう》を朝鮮側から描いた『風濤《ふうとう》』、大黒屋光太夫《こうだゆう》の漂流と流浪《るろう》の生涯を辿った『おろしや国酔夢譚《すいむたん》』と、歴史小説の大作が相ついで発表される。『天平の甍』から『おろしや国酔夢譚』に至る歴史小説の展開において、ひとつ指摘しうることは、『敦煌』や『蒼き狼』で多少の偏向と振幅を示しながらも、井上が次第に年代記的、記録的手法を固めて行っていることである。これには『蒼き狼』をめぐる大岡昇平との論争も影響を与えているかもしれない。特に『風濤』と『おろしや国酔夢譚』では、さながら煉瓦《れんが》をひとつひとつ積み上げて外壁を築き上げるように、正確な史実と明確なイメージが丹念に積み上げられ、その背後に言わず語らずの間に運命の姿を浮び上がらせている。それは「白い河床」の極まった姿と言っていいであろう。

井上はまた、『額田女王《ぬかたのおおきみ》』や『後白河院《ごしらかわいん》』などの歴史小説で、日本の古い時代にも照明を当てている。『額田女王』は、巫女《みこ》であり、同時に歌人でもあった額田女王を描いて、呪術《じゅじゅつ》と芸術が分ち難く結びついていた時代にさかのぼり、芸術の本然の姿と、古代人の心を探っている。

今ひとつ指摘しておかねばならないことは、井上靖が象徴的な意味で現代の作家だということである。井上が芥川賞を得て文壇に登場した昭和二十五年は、中間小説と新聞小説の勃興期《ぼっこうき》に当る。幸か不幸か井上はそういう時期に文壇に出たのである。中間小説と新聞小説は昭和三十年頃に最盛期を迎えるが、井上もまた昭和三十年を中心とするほぼ十年間に、これが一人の人間に書き得るかと思われるほど多くの作品を発表している。

『あした来る人』『氷壁』『満ちて来る潮』『憂愁平野』などの恋愛小説も、『風林火山』『戦国無頼』などの時代小説も、すべてこの時期に発表されたものである。井上の恋愛小説が多くの人に迎えられた原因は、井上の描く恋愛が常に、功利とか金銭とか名誉心などの世俗的要素を除外した場所で、純粋に恋愛感情そのものとして取扱われているからである。従ってその恋愛は必然的に、男女が互いに愛を確認し合った時に終るという形を取る。これを私は「恋愛純粋培養」と呼んだことがあるが、これが読む者に一種の清潔さと爽涼《そうりよう》の気を感じさせるのであろう。そういう視点を取らせるものは、もちろん井上の詩人の眼である。いずれにせよ井上は、『あした来る人』『氷壁』によって第一線作家の地位を揺がぬものとした。

現代のように巨大化したジャーナリズム機構の中では、小説家は納得の行く作品を細々と書いて次第に忘れられて行くか、多作に自滅するか、いずれかの道を取りがちである。その中で考えられる唯一《ゆいいつ》の可能性は、時代のジャーナリズムの要請に応《こた》えながら、同時に作家的にも脱皮成長して行く道である。これは言うに易《やす》く、行うに難い道であるが、井上靖はこれを実行した最初の作家と言ってよかろう。新聞小説によって自らの地歩を揺るがぬものとした井上は、徐々に歴史小説への脱皮をはかり、見事にこれを実現した。井上が象徴的な意味で現代の作家だというのは、そういう意味である。

現在の井上靖は、短編集『月の光』『桃李記《とうりき》』に見られるように、小説とも随筆ともつかぬ形で身辺や肉親知友を描きながら、そこに個性を越えた人間の原存在を見ようとしている。物の表面の奥にあるものを見ようとするのは、もちろん、長い間物の形とイメージを見つめ続けてきた井上の視線の深まりである。

（昭和四十九年十一月、文芸評論家）

『あすなろ物語』について

亀井勝一郎

この物語について、まず作者の短い感想を引用しておこう。

「私の郷里は伊豆《いず》半島の天城《あまぎ》山麓《さんろく》の小村で、あすなろ（羅漢柏《らかんはく》）の木がたくさんあります。あすは檜《ひのき》になろう、あすは檜になろうと念願しながら、ついに檜になれないというあすなろ（羅漢柏）の説話は、幼時の私に、かなり決定的な何ものかを植えつけたようです。この『あすなろ物語』一巻は、しかし、自伝小説ではありません。あすなろの説話の持つ哀《かな》しさや美しさを、小説の形で取り扱ってみたものです」

簡単だが作者の意図は、ここにはっきりあらわれていると思う。主人公梶鮎太《かじあゆた》の幼少年時代、青年時代、社会人としての門出の頃、やがて戦争から敗戦後までの壮年時代の一時期といった風に、年代順にそれぞれの時期の六つの物語から成り立っている。自伝小説ではないが、井上靖氏の『詩と真実』としてみても差支《さしつか》えあるまい。何が描かれているか、云《い》わば外的事件だけをとり出して考えるよりも、幼い魂の上に何が刻印されて行ったか、感受性の劇とその変化という面から接してゆく方が興味ふかいと思う。白紙のような魂にきざまれてゆく人生の皺《しわ》のようなもの、その深まりとニュアンスが文章からあざやかにうかがわれるからである。

私は「詩と真実」という言葉を使ったが、井上氏の身辺に起った事実とその虚構という風に解してもらってよい。虚構であるところの詩が根本であって、私はそれを「感受性の劇」とも云ってみたのである。井上氏はこの物語を通して、年代順にそれをあとづけ再現したと考えてもよい。むろんここに描かれた様々の物語は物語として興味ふかいし、小説の大切な条件となっているが、これらの物語を通して、作者が成長の過程における感受性の多様な反応に読者は注意してほしい。極めて小さなことによっても人は傷つけられたり、感動したり、悔恨を残したりするものだ。些細《ささい》なことの重大性を感ずるところに感受性の劇がある。

「詩と真実」という言葉は周知のとおりゲーテの「自伝」に附された題名だが、私がいま思い出すのはその扉に書かれた次の四つの言葉である。

第一部――「懲《こ》らされてこその教育である」

第二部――「人が青春時代に願うものは老年の時代に於《おい》て充《み》たされる」

第三部――「樹木は伸びても天まで達しないことになっている」

第四部――「神を措《お》いて他に神に敵する者なし」

これはむろん老ゲーテの採用した言葉だが、『あすなろ物語』を読んでいて思い出したのは、「あすなろ」の説話に、どこか相通ずるものがあると思ったからである。幼少年から青年期へかけて、「懲らされてこその教育」過程を必ず経なければならない。何に懲らされたか。それは事件だけでなく、さきに述べたような意味で感受したことの内容に由《よ》る。人間の成長の根はここにあると云ってもよかろう。そして、やがて人間は一つの諦念《ていねん》に達するようである。「樹木は伸びても天に達しないことになっている」というのがそれである。「あすなろ」の悲しみは、永久に檜になれない悲しみにはちがいないが、「天に達しない」人間の限界への認知をひそかにふくみながら、しかも「天に達しよう」ともがく青春の憧憬《どうけい》に宿る美しい悲しみと考えてもよかろう。未来に対しては誰も自信はないのだ。自信とは空想である。それにも拘《かかわ》らず「檜」であることをのぞむ人間の努力と夢の切なさを、「あすなろ」の説話は象徴しているようである。人間はこの意味でいじらしい存在だ。自他をふくめてそれをみつめているところに、この作品全体をつらぬく暖さがある。

＊

ここには六人の女性が登場する。女性の六つのタイプと云ってもよい。たとえば「深い深い雪の中で」の冴子《さえこ》。少年鮎太の心に愛と死の或《あ》る純粋さを刻印したという意味で一種の教育者と云ってもよかろう。人生の入口に立つ少年の感受性に、異様のショックを与えたものとして語られている。少年はその死の意味を語ることも説明することも出来ないが、何か或る深い感銘をうけた。少年鮎太にとってはこれが生涯での最初の洗礼であったと云ってもよかろう。

第二は「寒月がかかれば」の中の雪枝である。気性のはげしいこの女性によって少年は文字通り鍛えられてゆく。「懲らされる」ということの一面が、この物語によくあらわれているが、ここにはまたかすかながら性のめざめも描かれている。女体のもつ或る雰囲気《ふんいき》が、少年の何げない動作や感覚を通じて巧みに浮び出ている。「深い深い雪の中で」の冴子も同様だが、「教育者」が若い女性であることも興味ふかい。

次に「漲《みなぎ》ろう水の面より」の佐分利《さぶり》信子である。ここには北国の町の青春群像がある。みな檜を夢みているあすなろ達である。華かな若い未亡人をめぐっての学生たちのそれぞれの思慕、なやみ、その様々の表現がみられるが、前の二編とちがって、ここには青春のむせるような体臭がある。青春時代のものの感じ方の特徴が巧みに描かれている。胸底の思いとして語られ、云わば内に抑えられたすがただけに、却《かえ》って青春の匂《にお》いをつよく漂わせることに成功した。同時に主人公の鮎太が次第に一種のアウト・ローと化してゆく過程も興味深い。考えはじめるということが、つまり迷いはじめるということが、世に背く青春のしるしなのだ。

鮎太は学校を出て、やがて或る新聞社の一員となる。実社会の人となるわけだが、ここには清香という女性が登場する。「春の狐火《きつねび》」と題しているように、その女性との一夜の幻想的とも云える交わりを物語りながら、新聞社の生活、記者のタイプなどを描きわけ、実生活のつらさの中に青春固有の魂の彷徨《ほうこう》をつづけてゆく。やがて戦争となり「勝敗」の中では左山町介という他社の記者が競争相手として登場する。加島浜子という女性も登場するが、ここではむしろ競争相手との競争の心理が主となっていて、新聞社の生活の奥の方へ一歩一歩と足をすすめてゆく主人公の、活気もあれば、同時に一種の寂寥《せきりょう》をも伴った姿が物語られている。「生活」というものがもたらす人生の皺が、この辺《あた》りから次第に強まってゆくありさまがうかがわれる。

最後の「星の植民地」は、敗戦直後のさんたんたる廃墟《はいきょ》における鮎太の生活である。妻子を疎開《そかい》させ、ひとり大都会の焼野原の上に相変らず記者生活をつづけながら、たとえば熊《くま》さん夫婦のような野性的な生活力のたくましさを描き、またオシゲという正体不明の浮浪児とも云える若い奔放な女性との一時の関係が語られている。荒涼とした魂の所在のない彷徨がつづけられているわけだが、作者は自分の接した様々の人々、多くの女性、それらの「生きる」ことのいじらしさのうちに、「あすなろ」の美しい悲哀を感じとっているようである。

＊

「あすなろ」とは云わば井上氏の人間愛の象徴のようなものだ。「あすなろ」であるところの人間によって、自分という人間もまた育てられて、人間を知ってきたということだ。ここには告白調はすこしもない。しかし今まで述べてきたような意味で、この作品は作者の感受性の劇の告白だと云っても差支えあるまい。幼年、少年、青年、壮年の各時期にわたって、心にうけた様々の人生の屈折を語っているのだ。「思い出す人々」を通じて、心に感受したものを、改めて反芻《はんすう》しているような作品である。明日は何ものかになろうと努めている多くの「あすなろ」群像を通じて、人間の運命といったものをもこの作品は考えさせてくれる。たとえば犬塚山次のように、戦争中も戦後も、ただ自分の特殊の研究にのみ没頭して、一切を忘れているような、或る意味で執着の権化《ごんげ》ともいうべき変った人物も登場する。私がいま挙げた六つの物語の六人の女性は、或《あ》るいは井上氏の多くの作品に登場する女性たちの原型かもしれない。

性格がみなちがっていて、あざやかな印象をうけた。むろんこの作品の目的はこれらの女性だけを描くことにあるのではないが、そのすべてが、どこかに清純な面影を必ずとどめている点が印象に残った。そういえばこの作品には「悪人」はひとりも登場しない。それぞれに善意の人たちばかりだ。「あすなろ」とは井上氏の人間愛の象徴だといった意味が、読み終ると一層はっきりするように思う。それはまた、心に刻印され、或いは感受してきた内的イメージを、大切に育てあげたような作品であるということだ。

（昭和三十三年九月、文芸評論家）

この作品は昭和二十九年四月新潮社より刊行された。

井上靖著

しろばんば

野草の匂いと陽光のみなぎる、伊豆湯ヶ島の自然のなかで幼い魂はいかに成長していったか。著者自身の少年時代を描いた自伝小説。

井上靖著

蒼き狼

全蒙古を統一し、ヨーロッパへの大遠征をも企てたアジアの英雄チンギスカン。闘争に明け暮れた彼のあくなき征服欲の秘密を探る。

井上靖著

楼（ろうらん）蘭

朔風吹き荒れ流砂舞う中国の辺境西域――その湖のほとりに忽然と消え去った一小国の運命を探る「楼蘭」等12編を収めた歴史小説。

井上靖著

風（ふうとう）濤

読売文学賞受賞

朝鮮半島を蹂躙してはるかに日本をうかがう強大国元の帝フビライ。その強力な膝下に隠忍する高麗の苦難の歴史を重厚な筆に描く。

井上靖著

額《ぬか》田《たの》女《おお》王《きみ》

天智、天武両帝の愛をうけ、〝紫草《むらさき》のにほへる妹〟とうたわれた万葉随一の才媛、額田女王の劇的な生涯を綴り、古代人の心を探る。

井上靖著

幼き日のこと・青春放浪

血のつながらない祖母と過した幼年時代――なつかしい昔を愛惜の念をこめて描く「幼き日のこと」他、「青春放浪」「私の自己形成史」。

伊藤左千夫著

野菊の墓

江戸川の矢切の渡し付近の静かな田園を舞台に、世間体を気にするおとなに引きさかれた政夫と二つ年上の従姉民子の幼い純愛物語。

泉　鏡花著

歌行燈・高野聖

淫心を抱いて近づく男を畜生に変えてしまう美女に出会った、高野の旅僧の幻想的な物語「高野聖」等、独特な旋律が奏でる鏡花の世界。

井上　靖著

夏《なつ》草《ぐさ》冬《ふゆ》濤《なみ》（上・下）

両親と離れて暮す洪作が友達や上級生との友情の中で明るく成長する青春の姿を体験をもとに描く、『しろばんば』につづく自伝的長編。

井上　靖著

孔子

野間文芸賞受賞

戦乱の春秋末期に生きた孔子の人間像を描く。現代にも通ずる「乱世を生きる知恵」を提示した著者最後の歴史長編。野間文芸賞受賞作。

石川啄木著

一握の砂・悲しき玩具

―石川啄木歌集―

処女歌集「一握の砂」と第二歌集「悲しき玩具」。貧困と孤独の中で文学への情熱を失わず、歌壇に新風を吹きこんだ啄木の代表作。

石川達三著

青春の蹉《さ》跌《てつ》

生きることは闘いだ、他人はみな敵だ――貧しさゆえに充たされぬ野望をもって社会に挑戦し、挫折していく青年の悲劇を描く長編。

井伏鱒二著

山《さん》椒《しょう》魚《うお》

大きくなりすぎて岩屋の棲家から永久に外へ出られなくなった山椒魚の狼狽をユーモア漂う筆で描く処女作「山椒魚」など初期作品12編。

井伏鱒二著

黒い雨

野間文芸賞受賞

一瞬の閃光に街は焼けくずれ、放射能の雨の中を人々はさまよい歩く……罪なき広島市民が負った原爆の悲劇の実相を精緻に描く名作。

井伏鱒二著

さざなみ軍記・ジョン万次郎漂流記

直木賞受賞

都を追われて瀬戸内海を転戦するなま若い平家の公達の胸中や、数奇な運命に翻弄される少年漁夫の行末等、著者会心の歴史名作集。

井伏鱒二著

荻窪風土記

時世の大きなうねりの中に、荻窪の風土と市井の変遷を捉え、土地っ子や文学仲間との交遊を綴る。半生の思いをこめた自伝的長編。

井上ひさし著

父と暮せば

愛する者を原爆で失い、一人生き残った負い目で恋に対してかたくなな娘、彼女を励ます父。絶望を乗り越えて再生に向かう魂の物語。

井上ひさし著

吉里吉里人（上・中・下）

日本ＳＦ大賞・読売文学賞受賞

東北の一寒村が突如日本から分離独立した。大国日本の問題を鋭く撃つおかしくも感動的な新国家を言葉の魅力を満載して描く大作。

遠藤周作著

王妃 マリー・アントワネット(上・下)

苛酷な運命の中で、愛と優雅さを失うまいとする悲劇の王妃。激動のフランス革命を背景に、多彩な人物が織りなす華麗な歴史ロマン。

遠藤周作著

女の一生

二部・サチ子の場合

第二次大戦下の長崎、戦争の嵐は教会の幼友達サチ子と修平の愛を引き裂いていく。修平は特攻出撃。長崎は原爆にみまわれる……。

遠藤周作著

侍

野間文芸賞受賞

藩主の命を受け、海を渡った遣欧使節「侍」。政治の渦に巻きこまれ、歴史の闇に消えていった男の生を通して人生と信仰の意味を問う。

遠藤周作著

王国への道

―山田長政―

シャム(タイ)の古都で暗躍した山田長政と、切支丹の冒険家・ペドロ岐部――二人の生き方を通して、日本人とは何かを探る長編。

遠藤周作著

夫婦の一日

たびかさなる不幸で不安に陥った妻の心を癒すために、夫はどう行動したか。生身の人間だけが持ちうる愛の感情をあざやかに描く。

遠藤周作著

沈黙

谷崎潤一郎賞受賞

殉教を遂げるキリシタン信徒と棄教を迫られるポルトガル司祭。神の存在、背教の心理、東洋と西洋の思想的断絶等を追求した問題作。

塩野七生著
レパントの海戦
一五七一年、無敵トルコは西欧連合艦隊の前に、ついに破れた。文明の交代期に生きた男たちを壮大に描いた三部作、ここに完結！

塩野七生著
マキアヴェッリ語録
浅薄な倫理や道徳を排し、現実の社会のみを直視した中世イタリアの思想家・マキアヴェッリ。その真髄を一冊にまとめた箴言集。

塩野七生著
サイレント・マイノリティ
「声なき少数派」の代表として、皮相で浅薄な価値観に捉われることなく、「多数派」の安直な〝正義〟を排し、その真髄と美学を綴る。

塩野七生著
イタリア遺聞
生身の人間が作り出した地中海世界の歴史。そこにまつわるエピソードを、著者一流のエスプリを交えて読み解いた好エッセイ。

塩野七生著
イタリアからの手紙
ここ、イタリアの風光は飽くまで美しく、その歴史はとりわけ奥深く、人間は複雑微妙だ。——人生の豊かな味わいに誘う24のエセー。

塩野七生著
人びとのかたち
銀幕は人生の奥深さを多様に映し出す万華鏡。数多の現実、事実と真実を映画に教えられた。だから語ろう、私の愛する映画たちのことを。

吉村昭著
桜田門外ノ変（上・下）
幕政改革から倒幕へ――。尊王攘夷運動の一大転機となった井伊大老暗殺事件を、水戸薩摩両藩十八人の襲撃者の側から描く歴史大作。

吉村昭著
ニコライ遭難
〝ロシア皇太子、襲わる〟――近代国家への道を歩む明治日本を震撼させた未曾有の国難・大津事件に揺れる世相を活写する歴史長編。

吉村昭著
天狗争乱
大佛次郎賞受賞
幕末日本を震撼させた「天狗党の乱」。水戸尊攘派の挙兵から中山道中の行軍、そして越前での非情な末路までを克明に描いた雄編。

吉村昭著
プリズンの満月
東京裁判がもたらした異様な空間……巣鴨プリズン。そこに生きた戦犯と刑務官たちの懊悩。綿密な取材が光る吉村文学の新境地。

吉村昭著
わたしの流儀
作家冥利に尽きる貴重な体験、日常の小さな発見、ユーモアに富んだ日々の暮し、そしてあの小説の執筆秘話を綴る芳醇な随筆集。

吉村昭著
アメリカ彦蔵
破船漂流のはてに渡米、帰国後日米外交の先駆となり、日本初の新聞を創刊した男――アメリカ彦蔵の生涯と激動の幕末期を描く。

阿川佐和子・角田光代
沢村凜・柴田よしき
谷村志穂・乃南アサ 著
松尾由美・三浦しをん

最後の恋
―つまり、自分史上最高の恋。―

8人の女性作家が繰り広げる「最後の恋」をテーマにした競演。経験してきたすべての恋を肯定したくなるような珠玉のアンソロジー。

幸田文著

父・こんなこと

父・幸田露伴の死の模様を描いた「父」。父と娘の日常を生き生きと伝える「こんなこと」。偉大な父を偲ぶ著者の思いが伝わる記録文学。

幸田文著

おとうと

気丈なげん、と繊細で華奢な碧郎。姉と弟の間に交される愛情を通して生きることの寂しさを美しい日本語で完璧に描きつくした傑作。

幸田文著

木

北海道から屋久島まで訪ね歩いた木々との交流の記。木の運命に思いを馳せながら、鍛え抜かれた日本語で生命の根源に迫るエッセイ。

幸田文著

きもの

大正期の東京・下町。あくまできものの着心地にこだわる微妙な女ごころを、自らの軌跡と重ね合わせて描いた著者最後の長編小説。

幸田文著

雀の手帖

「かぜひき」「お節句」「吹きながし」。ちゅんちゅんさえずる雀のおしゃべりのように、季節の実感を思うまま書き留めた百日の随想。

向田邦子著
寺内貫太郎一家
著者・向田邦子の父親をモデルに、口下手で怒りっぽいくせに涙もろい愛すべき日本の〈お父さん〉とその家族を描く処女長編小説。

向田邦子著
思い出トランプ
日常生活の中で、誰もがもっている狡さや弱さ、うしろめたさを人間を愛しむ眼で巧みに捉えた、直木賞受賞作など連作13編を収録。

向田邦子著
男どき女どき
どんな平凡な人生にも、心さわぐ時がある。その一瞬の輝きを描く最後の小説四編に、珠玉のエッセイを加えたラスト・メッセージ集。

阿川佐和子著
スープ・オペラ
一軒家で同居するルイ（35歳・独身）と男性二人。一つ屋根の下で繰り広げられる三つの心とスープの行方は。温かくキュートな物語。

阿川佐和子著
うから はらから
父の再婚相手はデカパイ小娘しかもコブ付き……。偽家族がひとつ屋根の下で暮らす心労と意外な幸せ。人間が愛しくなる家族小説。

阿川佐和子著
魔女のスープ
—残るは食欲—
あらゆる残り物を煮込んで出来た、世にも怪しい液体——アガワ流「魔女のスープ」。愛を忘れて食に走る、人気作家のおいしい日常。

あすなろ物《もの》語《がたり》

新潮文庫　い-7-5

昭和三十三年十一月三十日　発行
平成十四年二月二十五日　八十六刷改版
平成二十九年四月三十日　百四刷

著者　井《いの》上《うえ》靖《やすし》
発行者　佐藤隆信
発行所　株式会社　新潮社

郵便番号　一六二―八七一一
東京都新宿区矢来町七一
電話　編集部(〇三)三二六六―五四四〇
　　　読者係(〇三)三二六六―五一一一
http://www.shinchosha.co.jp

価格はカバーに表示してあります。

印刷・凸版印刷株式会社　製本・株式会社大進堂

ISBN978-4-10-106305-8 C0193